GRAMMAR 101

Level 2

Grammar 101 Level 2

지은이 넥서스영어교육연구소
펴낸이 임상진
펴낸곳 (주)넥서스

출판신고 1992년 4월 3일 제311-2002-2호 2-1
10880 경기도 파주시 지목로 5
Tel (02)330-5500 Fax (02)330-5555

ISBN 979-11-6165-136-1 54740
979-11-6165-142-2 (SET)

가격은 뒤표지에 있습니다.
잘못 만들어진 책은 구입처에서 바꾸어 드립니다.

www.nexusbook.com

※본 책은 워크북을 추가하고, After School Grammar의 콘텐츠를 재구성한 것입니다.

한번에 끝내는 중등 영문법

GRAMMAR 101

넥서스영어교육연구소 지음

Level 2

NEXUS Edu

한 번에 중등 영문법
끝!
Grammar
101

GRAMMAR 101 is...

basic ‘기초 과정의, 입문의, 기본의’라는 뜻의 Grammar 101 [wʌ́nouwʌ́n]으로
영문법 기초를 최단 기간에 마스터할 수 있도록 구성하였습니다.

easy 예비 중부터 누구나 쉽게 단계별로 공부할 수 있습니다.
Level 1~3까지는 중학교 과정을 쉽게 마스터할 수 있도록 구성되어 있습니다.

rich 각 Lesson의 Practice뿐만 아니라 워크북에서도 내신에 자주 등장하는
다양하고 풍부한 단답형, 서술형 문제를 제공합니다.

useful 문법뿐만 아니라 실용적인 다양한 표현을 배웁니다.
실생활에서 사용할 수 있는 실용적인 표현들을 엄선하여 예문에 활용했습니다.

systematic 체계적으로 공부할 수 있도록 구성하였습니다.
시험에 나올 수 있는 문제들을 체계적이고 반복적으로 학습하면서
문법의 원리와 규칙들을 자연스럽게 습득합니다.

confident 내신시험에 자신감을 심어줍니다.
문법을 알기 쉽게 설명하고 있으며, 각 학년에서 다루는 문법만을
집중적으로 공부함으로써 내신시험에 보다 효과적으로대비할 수 있습니다.

up to date 최신 기출문제 유형을 제공합니다.
전국 중학교에서 출제된 문법문제들을 각 학년별로 분석하여,
최신 문제 유형을 미리 학습할 수 있으며,
서술형 문제를 더욱 보충하여 내신시험에 대비할 수 있도록 했습니다.

1 Grammar Lesson

중요 핵심 문법을 빠르게 이해하고, 기억하기 쉽도록 도표, 도식, 그림을 이용하였습니다. 내신에 꼭 필요한 사항만을 담아, 최단기간에 각 단계별 영문법을 마스터할 수 있도록 구성하였습니다.

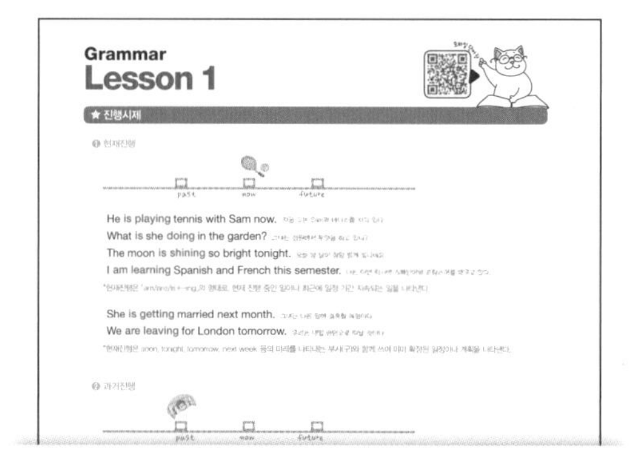

Grammar
Lesson 1

★ 진행시제

past now future

He is playing tennis with Sam now.
What is she doing in the garden?
The moon is shining so bright tonight.
I am learning Spanish and French this semester.

She is getting married next month.
We are leaving for London tomorrow.

past now future

2 Practice

다양한 유형의 풍부한 문제 풀이를 통해 내신 대비는 물론, 영어의 4가지 영역(L, R, S, W)을 공부하는 기초를 습득할 수 있습니다. 문제를 풀면서 자신의 취약점을 확인하고, 단계별 문제를 통해 기초부터 심화까지 학습할 수 있습니다.

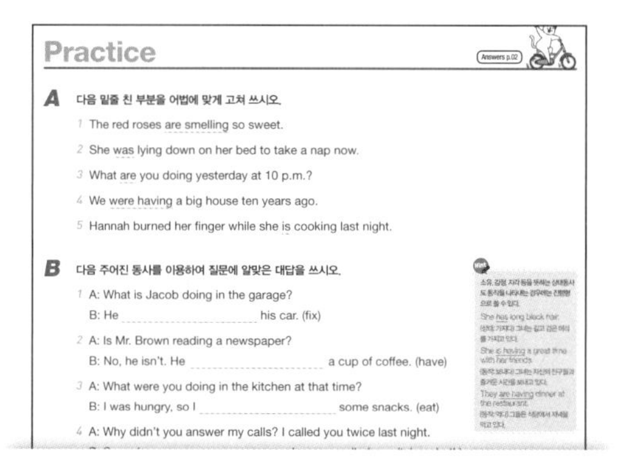

Practice

Answers p.02

A 다음 밑줄 친 부분을 어법에 맞게 고쳐 쓰시오.

1 The red roses are smelling so sweet.
2 She was lying down on her bed to take a nap now.
3 What are you doing yesterday at 10 p.m.?
4 We were having a big house ten years ago.
5 Hannah burned her finger while she is cooking last night.

B 다음 주어진 동사를 이용하여 질문에 알맞은 대답을 쓰시오.

1 A: What is Jacob doing in the garage?
B: He ________ his car. (fix)
2 A: Is Mr. Brown reading a newspaper?
B: No, he isn't. He ________ a cup of coffee. (have)
3 A: What were you doing in the kitchen at that time?
B: I was hungry, so I ________ some snacks. (eat)
4 A: Why didn't you answer my calls? I called you twice last night.

3 VOCA in Grammar

문법 문제 속에 있는 어휘를 찾아 앞에서 배운 기초 문법을 한 번 더 쉽게 확인할 수 있습니다. 어휘의 영영풀이를 통해 어휘의 개념뿐만 아니라 문법의 기초 개념까지도 파악할 수 있도록 구성하였습니다.

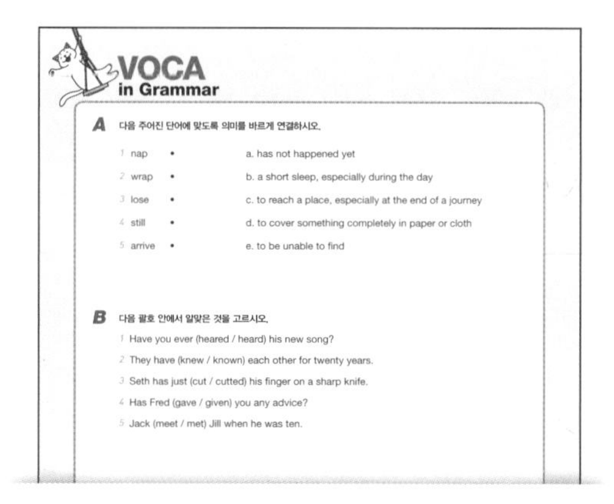

VOCA in Grammar

A 다음 주어진 단어에 맞도록 의미를 바르게 연결하시오.

1 nap • a. has not happened yet
2 wrap • b. a short sleep, especially during the day
3 lose • c. to reach a place, especially at the end of a journey
4 still • d. to cover something completely in paper or cloth
5 arrive • e. to be unable to find

B 다음 괄호 안에서 알맞은 것을 고르시오.

1 Have you ever (heared / heard) his new song?
2 They have (knew / known) each other for twenty years.
3 Seth has just (cut / cutted) his finger on a sharp knife.
4 Has Fred (gave / given) you any advice?
5 Jack (meet / met) Jill when he was ten.

4 Workbook

각 레슨별로 최신 기출 문제 유형을 담아 다양한 문제풀이를 할 수 있도록 구성하였습니다. 각 Lesson 및 Practice 학습 후, 자기주도학습으로 워크북을 활용할 수 있도록 구성하였습니다.

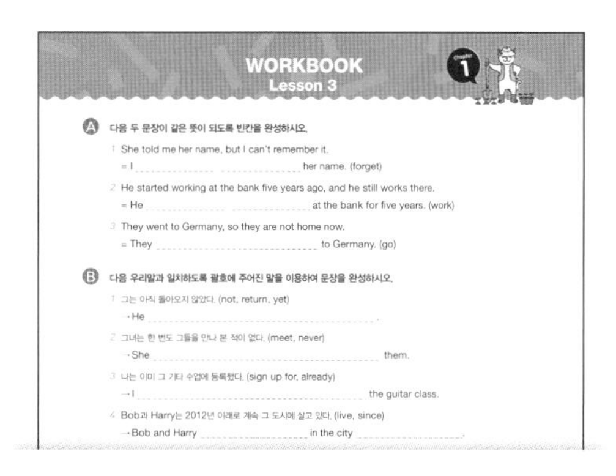
WORKBOOK
Lesson 3

A 다음 두 문장이 같은 뜻이 되도록 빈칸을 완성하시오.

1 She told me her name, but I can't remember it.
= I ____ ____ her name. (forget)

2 He started working at the bank five years ago, and he still works there.
= He ____ ____ at the bank for five years. (work)

3 They went to Germany, so they are not home now.
= They ____ to Germany. (go)

B 다음 우리말과 일치하도록 괄호에 주어진 말을 이용하여 문장을 완성하시오.

1 그는 아직 돌아오지 않았다. (not, return, yet)
→ He ____.

2 그녀는 한 번도 그들을 만나 본 적이 없다. (meet, never)
→ She ____ them.

3 나는 이미 그 기타 수업에 등록했다. (sign up for, already)
→ I ____ the guitar class.

4 Bob과 Harry는 2012년 이래로 계속 그 도시에 살고 있다. (live, since)
→ Bob and Harry ____ in the city ____.

5 Chapter Review

철저한 내신 분석을 통해 기출과 유사한 시험 문제를 풀어볼 수 있도록 시험지 형태로 구성하였습니다. 챕터 안에서 배웠던 문법 사항들을 통합하여 학습할 수 있도록 하였습니다.

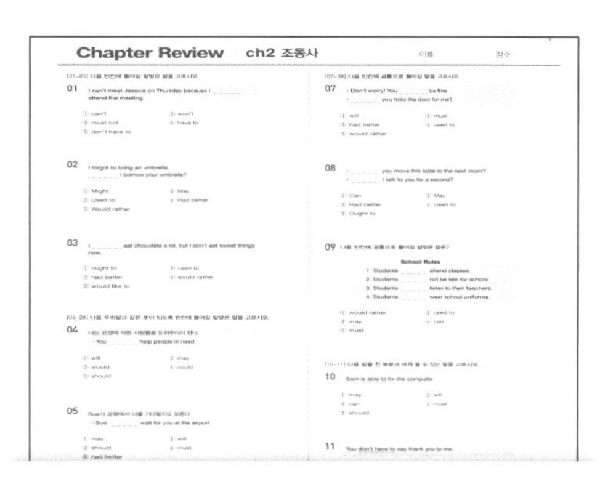
Chapter Review ch2 조동사

추가 제공 자료(www.nexusbook.com)

어휘 리스트
& 테스트지

통문장 영작
테스트지

통문장 해석
테스트지

동사 · 비교급 변화표
& 테스트지

문법
용어집

Chapter 1 시제

Chapter 2 조동사

Chapter 3 수동태

Chapter 4 to부정사

Chapter 5 동명사

Chapter 6 명사와 대명사

Chapter 7 형용사와 부사 & 비교

Chapter 8 가정법

Chapter 9 관계사

Chapter 10 접속사

Workbook

Chapter Review

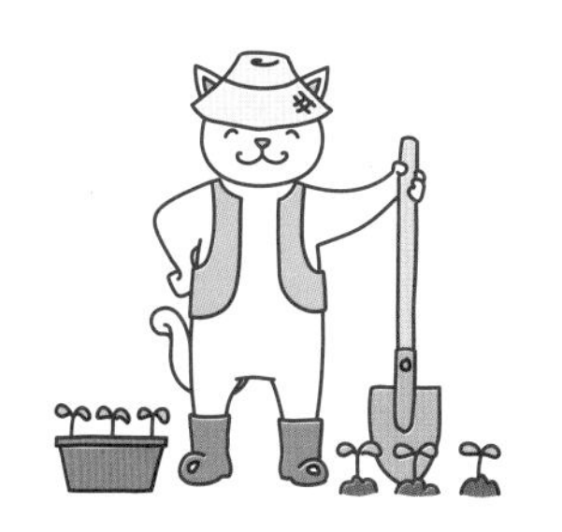

LEVEL 1 CONTENTS

LEVEL 3 CONTENTS

Chapter 01

시제

Grammar
Lesson 1

★ 진행시제

❶ 현재진행

He **is playing** tennis with Sam now. 지금 그는 Sam과 테니스를 치고 있다.

What **is** she **doing** in the garden? 그녀는 정원에서 무엇을 하고 있니?

The moon **is shining** so bright tonight. 오늘 밤 달이 정말 밝게 빛나네요.

I **am learning** Spanish and French this semester. 나는 이번 학기에 스페인어와 프랑스어를 배우고 있다.

*현재진행은 「am/are/is+-ing」의 형태로, 현재 진행 중인 일이나 최근에 일정 기간 지속되는 일을 나타낸다.

She **is getting** married next month. 그녀는 다음 달에 결혼할 예정이다.

We **are leaving** for London tomorrow. 우리는 내일 런던으로 떠날 것이다.

*현재진행은 soon, tonight, tomorrow, next week 등의 미래를 나타내는 부사(구)와 함께 쓰여 이미 확정된 일정이나 계획을 나타낸다.

❷ 과거진행

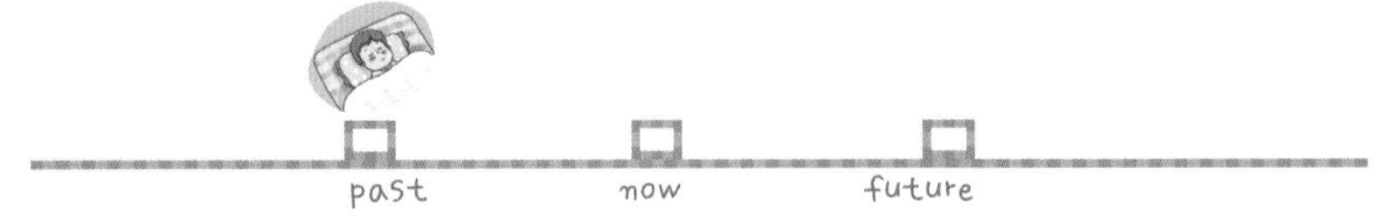

My brother **was sleeping** when I came home. 내가 집에 왔을 때 내 남동생은 자고 있었다.

While you **were taking** a shower, Timothy called you. 네가 샤워하고 있을 때 Timothy가 전화했어.

He **was tying** his shoelaces when the other racers started to run.
나머지 선수들이 뛰기 시작할 때 그는 신발끈을 매고 있었다.

*과거진행은 「was/were+-ing」의 형태로, 과거의 한 시점에서 진행 중인 동작이나 일을 나타낸다.

❸ 진행형으로 쓰지 않는 동사

have(가지다), **belong**(~에 속하다), **like**(좋아하다), **want**(원하다), **feel**(느끼다), **know**(알다), **sound**(~처럼 들리다), **smell**(냄새가 나다), **understand**(이해하다), **resemble**(닮다) ...

I **know** the answer to the question. 나는 그 문제의 정답을 알고 있다.

Matthew **feels** tired every Monday morning. Matthew는 매주 월요일 아침 피곤함을 느낀다.

Your story **sounds** very interesting. 네 이야기는 정말 흥미롭게 들린다.

*일반적으로 소유, 감정, 지각 등을 뜻하는 상태동사는 진행형으로 쓰지 않는다.

소유동사	belong, own, have ...
감정동사	like, hate, love, want, wish ...
지각동사	feel, see, hear, look, sound, smell ...
인지동사	believe, forget, remember, think, understand ...
기타 동사	resemble, seem ...

Practice

Answers p.02

A 다음 밑줄 친 부분을 어법에 맞게 고쳐 쓰시오.

1 The red roses are smelling so sweet.

2 She was lying down on her bed to take a nap now.

3 What are you doing yesterday at 10 p.m.?

4 We were having a big house ten years ago.

5 Hannah burned her finger while she is cooking last night.

B 다음 주어진 동사를 이용하여 질문에 알맞은 대답을 쓰시오.

1 A: What is Jacob doing in the garage?
B: He ______________ his car. (fix)

2 A: Is Mr. Brown reading a newspaper?
B: No, he isn't. He ______________ a cup of coffee. (have)

3 A: What were you doing in the kitchen at that time?
B: I was hungry, so I ______________ some snacks. (eat)

4 A: Why didn't you answer my calls? I called you twice last night.
B: Sorry, I ______________ when you called me. (take a bath)

Hint

소유, 감정, 지각 등을 뜻하는 상태동사도 동작을 나타내는 경우에는 진행형으로 쓸 수 있다.

She has long black hair.
(상태: 가지다) 그녀는 길고 검은 머리를 가지고 있다.

She is having a great time with her friends.
(동작: 보내다) 그녀는 자신의 친구들과 즐거운 시간을 보내고 있다.

They are having dinner at the restaurant.
(동작: 먹다) 그들은 식당에서 저녁을 먹고 있다.

C 다음 우리말과 같은 뜻이 되도록 주어진 단어를 이용하여 문장을 완성하시오.

1 그들은 그리스에서 즐거운 시간을 보내고 있다. (have)
→ They ________ ________ a wonderful time in Greece.

2 Daniel은 남동생과 종이비행기를 만들고 있다. (make)
→ Daniel ________ ________ a paper airplane with his brother.

3 나는 내 가족과 크리스마스 선물을 포장하고 있었다. (wrap)
→ I ________ ________ Christmas presents with my family.

4 그가 UFO를 보았을 때 그는 차를 몰고 집으로 가는 중이었다. (drive)
→ He ________ ________ home when he saw a UFO.

Eng-Eng VOCA

nap	a short sleep, especially during the day
burn	to hurt yourself or someone else with fire or something hot
garage	a building for keeping one or more cars in
wrap	to cover something completely in paper or cloth
present	a thing that you give to someone as a gift

Grammar
Lesson 2

★ 현재완료

I moved into this house ten years ago.　I still live in this house.

past　　now

I have lived in this house for ten years. 나는 10년 동안 이 집에서 살고 있다.

*과거의 한 시점에서 일어난 동작이나 상태가 현재까지 영향을 미칠 때 사용한다.

★ 현재완료의 형태

❶ 긍정문: 「have/has+과거분사」　* 3인칭 단수인 경우: 「has+과거분사」

They have known each other for twenty years. 그들은 서로 20년 동안 알고 지내왔다.

Seth has just cut his finger on a sharp knife. Seth는 방금 날카로운 칼에 손을 베었다.

❷ 부정문: 「have/has+not+과거분사」 또는 「have/has+never+과거분사」

I have not received any messages from Susan. 나는 Susan으로부터 어떤 연락도 받은 적이 없다.

She has never told a lie to me. 그녀는 나에게 한 번도 거짓말을 한 적이 없다.

❸ 의문문: 「Have/Has+주어+과거분사 ~?」 또는 「의문사+have/has+주어+과거분사 ~?」

Have you heard his new song? 너는 그의 신곡을 들어본 적이 있니?

Has Fred given you any advice? Fred가 너에게 충고를 해줬니?

What have you done wrong? 너는 무엇을 잘못했니?

How long has she worked for the company? 그녀는 그 회사에서 얼마나 오랫동안 일했니?

★ 현재완료와 과거시제

He learned Italian. (지금도 이탈리아어를 배우고 있는지 알 수 없음)

past　　now

He has learned Italian. (여전히 이탈리아어를 배우고 있음)

My grandfather kept three dogs at that time. 우리 할아버지께서는 그때 개 세 마리를 기르셨다.

My grandfather has kept three dogs for five years. 우리 할아버지께서는 개 세 마리를 5년 동안 기르고 계신다.

현재완료	어떤 동작이나 상황이 과거의 한 시점에서 발생하여 현재까지 영향을 미침
과거	어떤 동작이나 상황이 단순히 과거의 한 시점에서 발생하여 종료된 것으로 현재 상황은 알 수 없음

Practice

Answers p.02

A 다음 주어진 단어를 이용하여 빈칸에 알맞은 말을 쓰시오.

1 Have you __________ my birthday? (forget)

2 I have __________ camels three times. (ride)

3 Joel has just __________ his second novel. (finish)

4 The wind hasn't __________ for a week. (blow)

B 다음 문장을 부정문과 의문문으로 고쳐 쓰시오.

1 You have seen the movie.

부정문 → ______________________________ the movie.

의문문 → ______________________________ the movie?

2 She has believed in ghosts.

부정문 → ______________________________ in ghosts.

의문문 → ______________________________ in ghosts?

3 Patrick has been afraid of spiders since then.

부정문 → ______________________________ afraid of spiders since then.

의문문 → ______________________________ afraid of spiders since then?

4 They have visited Venice before.

부정문 → ______________________________ Venice before.

의문문 → ______________________________ Venice before?

C 다음 괄호 안에서 알맞은 것을 고르시오.

1 Peter (went / has gone) to Tokyo last year.

2 He (lost / has lost) his car key, so he doesn't have it now.

3 I (helped / have helped) an old lady with her bags yesterday.

4 She (didn't speak / hasn't spoken) to me since we had a fight.

5 What (did he say / has he said) at that time?

Hint

yesterday, ~ago, last ~, when ~, at that time 등 과거를 나타내는 부사(구)는 주로 과거시제와 함께 쓴다.

I called him last night, but he didn't answer.
어젯밤에 그에게 전화를 했는데 그는 받지 않았다.

Jack met Jill when he was ten.
Jack은 열 살 때 Jill을 만났다.

novel	a long, written story about imaginary characters and events
believe in	to feel certain that someone/something exists; have faith in
visit	to go and spend time in a place or with someone
lose	to be unable to find
have a fight	to argue in an angry way

Grammar
Lesson 3

★ 현재완료의 용법

❶ 계속

I **have played** chess since I was ten. 나는 열 살 때부터 체스를 두기 시작했다.

He **has lived** in London for ten years. 그는 10년 동안 런던에 살고 있다.

They **have been married** for five years. 그들은 결혼한 지 5년이 되었다.

* 과거에 시작된 일이 현재까지 계속되는 것을 나타낸다.

❷ 완료

I**'ve just finished** reading a magazine. 나는 방금 잡지를 다 읽었다.

She **has just invented** a new machine. 그녀는 막 새 기계를 발명했다.

Robin **hasn't arrived** at the airport **yet**. Robin은 아직 공항에 도착하지 않았다.

* 과거에 시작된 일이 현재 완료된 것을 나타낸다.

❸ 경험

He **has been** to Singapore several times. 그는 싱가포르에 여러 번 가본 적이 있다.

Jeremy **has never met** such a cute girl. Jeremy는 한 번도 그렇게 귀여운 소녀를 만나 본 적이 없었다.

Have you **heard** of the story? 너는 그 이야기에 대해 들어 본 적이 있니?

* 과거부터 현재까지의 경험을 나타낸다.

❹ 결과

He **has lost** his car key. 그는 자신의 자동차 열쇠를 잃어버렸다.

The man **has left** the room, and now she is alone. 그 남자가 방에서 나왔고, 그녀는 지금 혼자 있다.

My sister **has gone** to Paris, so I miss her so much. 언니가 파리로 가버려서, 나는 그녀가 너무 보고 싶다.

* 과거에 일어난 일이 현재까지 영향을 미치고 있음을 나타낸다.

❺ 함께 쓰이는 부사

계속	for, since …
완료	just, already, yet …
경험	before, ever, never, once, twice, three times …

I **have played** in a Jazz band **for three years**. 나는 3년 동안 재즈밴드에서 연주를 하고 있다.

Mom **has just made** chocolate cake. 어머니께서 방금 초콜릿 케이크를 만드셨다.

I**'ve never seen** such a big lake. 나는 한 번도 그렇게 큰 호수를 본 적이 없었다.

Practice

Answers p.02

A 다음 주어진 단어를 이용하여 두 문장을 한 문장으로 만드시오.

1 I met Jacob a long time ago. We are still friends.
→ I ______________ Jacob for a long time. (know)

2 They went to New York last year. Now they are not here.
→ They ______________ to New York. (go)

3 Jake began to work as a reporter in 2012. He is still a reporter.
→ Jake ______________ as a reporter since 2012. (work)

4 He started to write a letter an hour ago. He is still writing it.
→ He ______________ writing a letter yet. (finish, not)

5 Ann doesn't live in Boston any more. She moved to Seattle last month.
→ Ann ______________ in Seattle since last month. (live)

Hint

have been vs. have gone

「have been to 장소」
'~에 갔다 왔다', '~에 다녀온 경험이 있다'라는 뜻이다.

「have gone to 장소」
'~로 가 버렸다(현재 여기에 있지 않음)'라는 뜻으로, 3인칭과 함께 쓰인다.

B 다음 빈칸에 been 또는 gone을 쓰시오.

1 Grace isn't at home now. She has ________ out.

2 He is on vacation now. He has ________ to Hawaii.

3 Sam knows the waiter well. He has ________ here many times.

4 I've never ________ to Turkey before, so I'm excited to go there.

C 다음 〈보기〉에서 알맞은 것을 골라 문장을 완성하시오. (중복 불가)

보기 since yet for

1 A: I can't see Tom. Where is he?
B: He hasn't arrived home ________.

2 A: How long has Dave been sick?
B: He has been sick ________ last weekend.

3 A: You are a great violinist.
B: Thank you. I have played the violin ________ twenty years.

Hint

for vs. since

for는 '~동안'이라는 뜻이고, 다음에는 '기간'을 나타내는 말이 온다.

for years, for a few days, for two hours

since는 '~이래로'라는 뜻이고, 다음에는 '시작 시점'을 나타내는 말이 온다.

since 2016, since I was five, since he was little

Eng-Eng VOCA

still	has not happened yet
move	to go to a different place to live
vacation	a period of time spent resting away from school or work
excited	happy because something good has happened or will happen
arrive	to reach a place, especially at the end of a journey

A 다음 주어진 단어에 맞도록 의미를 바르게 연결하시오.

1 nap •
2 wrap •
3 lose •
4 still •
5 arrive •

a. has not happened yet
b. a short sleep, especially during the day
c. to reach a place, especially at the end of a journey
d. to cover something completely in paper or cloth
e. to be unable to find

B 다음 괄호 안에서 알맞은 것을 고르시오.

1 Have you ever (heared / heard) his new song?
2 They have (knew / known) each other for twenty years.
3 Seth has just (cut / cutted) his finger on a sharp knife.
4 Has Fred (gave / given) you any advice?
5 Jack (meet / met) Jill when he was ten.

C 다음 〈보기〉에서 알맞은 단어를 골라 문장을 완성하시오.

보기 just since yet ever for

1 Have you ____________ heard of the story?
2 They have been married ____________ ten years.
3 I have played chess ____________ I was ten.
4 Robin hasn't arrived at the airport ____________.
5 She has ____________ invented a new machine.

Chapter 02

조동사

Lesson 1 can / could ⋆ may / might ⋆ will / would
Lesson 2 must ⋆ should / ought to
Lesson 3 had better ⋆ used to ⋆ would like to ⋆ would rather

Grammar
Lesson 1

★ can / could

❶ 능력 · 가능성: ~할 수 있다 (= be able to)

He **can** fix a computer easily. 그는 컴퓨터를 쉽게 고칠 수 있다.

She **couldn't** pass the entrance exam. 그녀는 입학시험에 통과할 수 없었다.

= She **was not able to** pass the entrance exam.

❷ 허가: ~해도 좋다 (= may)

A: **Can** I have them all? 저것들을 모두 가져도 되요?

B: I'm afraid you **can't**. 미안하지만 안 돼.

If you want, you **can** leave. 네가 원하면 떠나도 돼.

❸ 요청 · 부탁: ~해 줄래?, 해 주시겠어요?

A: **Can** you help me? 나를 도와줄래?

B: Sure, I **can**. 물론이야.

A: **Could** you give me a ride to work? 회사까지 저를 태워 주시겠습니까?

B: Sorry, but I **can't**. 죄송하지만, 태워 줄 수 없어요.

★ may / might

❶ 불확실한 추측: ~일지도 모른다, ~일 수도 있다

He **may not** say yes to your offer. 그가 네 제안을 받아들이지 않을 수도 있다.

It **might** rain this afternoon. 오후에 비가 내릴지도 모른다.

❷ 허가: ~해도 좋다 (= can)

A: **May** I talk to you for a minute? 제가 잠깐 당신과 얘기를 나눠도 될까요?

B: I'm sorry you **may not**. 죄송하지만 안 돼요.

You **may** go out and play now. 너는 지금 나가 놀아도 된다.

★ will / would

❶ 미래: ~할[일] 것이다, ~하려고 하다

She **will** tell you the meeting place. 그녀가 너에게 모임 장소를 얘기해 줄 것이다.

I **will not[won't]** be here tomorrow morning. 나는 내일 아침에 여기에 없을 것이다.

❷ 요청 · 부탁: ~해 줄래?, ~해 주시겠어요?

A: **Will** you marry me? 저와 결혼해 주시겠어요?

B: Yes, I **will**. 네, 그럴게요.

Would you have a seat at the table? 탁자에 앉아주실래요?

*will은 미래의 일이나 의지, 계획을 나타내고, would는 요청, 부탁할 때 사용하면 더 정중한 표현이 된다.

Practice

Answers p.03

A 다음 밑줄 친 조동사의 의미를 〈보기〉에서 고르라 그 기호를 쓰시오.

보기 (a) 추측 (b) 허가 (c) 요청 (d) 능력

1 Will you do me a favor? ______
2 Can I try these pants on? ______
3 May I sit here next to you? ______
4 I can't move these heavy boxes. ______
5 He might know my younger brother. ______
6 Could you bring me a glass of water? ______

Hint
부탁이나 허가의 의미로 쓰일 때 could는 can의 과거형이 아니라 정중함을 나타낸다.
Can I speak to Kim?
Kim과 통화할 수 있을까?
Could I speak to Mr. Kim?
Kim 씨와 통화할 수 있을까요?

B 다음 문장을 괄호 안의 지시대로 바꿔 쓰시오.

1 They can win the championship. (미래시제로)
→ ______

2 Can you hear my voice clearly? (be able to 의문문으로)
→ ______

3 Will you answer the phone for me? (would를 이용한 공손한 표현으로)
→ ______

4 He can get to the concert hall in time. (과거시제로)
→ ______

Hint
can의 과거형: could
「was/were able to+동사원형」
She could pass the exam.
그녀는 시험에 합격할 수 있었다.
can의 미래형:
「will be able to+동사원형」
She will be able to pass the exam.
그녀는 시험에 합격할 수 있을 것이다.
*will can (×)

C 다음 괄호 안에서 알맞은 것을 고르시오.

1 A: Can you finish the report by Friday?
B: No, I (would not / cannot). My computer has a virus.

2 A: (Will he can / Will he be able to) pass the test?
B: I have no idea! What do you think?

3 A: Where are you going for this summer holidays?
B: I don't know. I (might / was able to) go to Spain.

try on	to put on a piece of clothing to see if it fits you or if it suits you
next to	at the side of someone/something
championship	the position or title of a winner; a competition held to determine a winner
voice	the sounds that you make with your mouth and throat
in time	early enough

Grammar
Lesson 2

★ must

❶ 필요 · 의무: ~해야 한다 (= have/has+to)

You **must finish** your homework before you go out.
= You **have to finish** your homework before you go out. 너는 나가기 전에 숙제를 끝내야 한다.

He **must meet** Joanna. She is a very nice person. 그는 Joanna를 만나봐야 한다. 그녀는 정말 좋은 사람이다.

❷ 강한 추측: ~임에 틀림없다

Jimmy **must be** very angry with me. Jimmy가 나한테 매우 화가 나 있는 게 틀림없다.
The door is locked. He **cannot be** home. 문이 잠겨 있어. 그가 집에 없는 게 틀림없어.
*강한 부정의 추측을 나타내는 must의 부정은 cannot [can't]으로 '~일 리가 없다'라는 의미이다.

❸ must not과 don't have to

▷ must not: ~하면 안 된다

You **must not stay** up late at night. 너는 밤늦게까지 깨어 있으면 안 된다.
You **must not touch** the paintings. 너는 그림들을 만지면 안 된다.

▷ don't have to+동사원형: ~할 필요가 없다 (= don't need to / need not)

You **don't have to work** on weekends. 너는 주말에는 일할 필요가 없다.
She **doesn't have to follow** our rules. 그녀는 우리의 규칙을 따를 필요가 없다.

★ should / ought to

❶ should: ~해야 한다, ~하는 것이 바람직하다 (의무, 충고)

You **should listen** to me carefully.
= You **ought to listen** to me carefully. 너는 내 말을 주의 깊게 들어야 한다.

You **should not make** the same mistake again. 너는 똑같은 실수를 반복해서는 안 된다
What **should** I **say** to her about this situation? 내가 이 상황에 대해서 그녀에게 무슨 말을 해야 할까?

❷ ought to: ~해야 한다 (의무, 충고)

You **ought to see** a doctor.
= You **should see** a doctor. 너는 의사의 진찰을 받아야 한다.

You **ought not to cheat** in exams. 너는 시험에서 부정행위를 하면 안 된다.
Jessica **ought to be** more careful about spending money. Jessica는 돈을 쓰는 데 더 신중해야 한다.
*ought to는 should로 바꿔 쓸 수 있으며, ought to의 부정형은 「ought not to+동사원형」이다.

Practice

Answers p.04

A 다음 괄호 안에서 알맞은 것을 고르시오.

1 You (should / shouldn't) smoke. It's bad for your health.

2 You won first prize. You (must / shouldn't) be very happy.

3 Sarah (should / shouldn't) go to the dentist. She has a cavity.

4 We (have to / don't have to) take our coats off. We will leave soon.

5 My house is really messy. I (will must / will have to) clean it this weekend.

6 You (ought / ought to) be nice to him. He is your classmate.

> **Hint**
> must의 과거형: 「had to+동사원형」
> I had to go there with my sister.
> 나는 거기에 내 여동생과 같이 가야만 했다.
> must의 미래형: 「will have to+동사원형」
> You will have to go there with your sister.
> 너는 거기에 네 여동생과 함께 가야 할 것이다.
> *will must (X)

B 다음 문장을 주어진 지시대로 바꿔 쓰시오.

1 We should take the problem seriously. (부정문으로)

→ ______________________

2 You must come back home before ten. (과거시제로)

→ ______________________

3 Miranda must go home and take a rest. (미래시제로)

→ ______________________

C 다음 우리말과 같은 뜻이 되도록 밑줄 친 부분을 바르게 고쳐 쓰시오.

1 우리 아들이 기침을 심하게 해요. 그는 아픈 게 틀림없어요.
→ My son has a bad cough. He should be sick.

2 아이들은 불장난해서는 안 된다. 그것은 위험하다.
→ Children don't have to play with fire. It is dangerous.

3 우리는 보고서를 오늘 끝낼 필요가 없어. 우리에겐 한 달이 더 있거든.
→ We must not finish our report today. We have one more month.

4 너는 내 고양이들을 만지면 안 돼. 그들은 온순하지 않아.
→ You ought to not touch my cats. They aren't friendly.

cavity	a hole or space inside something
messy	dirty or untidy
seriously	in a way that is not joking
take a rest	to relax or sleep after a period of activity
report	a document that gives information about a particular subject

Grammar
Lesson 3

★ had better

I had better sleep early tonight. 나는 오늘 밤 일찍 잠자리에 드는 게 좋겠어.

We had better take some warm clothes. 우리는 따뜻한 옷을 가져가는 것이 좋겠어.

You had better not go there alone. 너는 거기에 혼자 가지 않는 게 낫겠어.

* '~하는 게 좋겠다'라는 뜻으로 조언이나 충고를 나타낸다. had better의 부정형은 「had better not+동사원형」이다.

★ used to

He used to be my neighbor. 그는 내 이웃이었다.

Louise used to work for a bank. Louise는 은행에서 일을 했었다.

There used to be an old house, but now there is a hospital. 낡은 집이 있었지만, 지금은 병원이 있다.

* 「used to+동사원형」은 '~하곤 했다', '~이 있었다'라는 뜻으로 과거의 반복적인 행동이나 습관, 상태를 나타낸다.

★ would like to

❶ would like to+동사원형: ~하고 싶다(= want to+동사원형)

I would like to have a haircut. 나는 머리를 자르고 싶다.

= I want to have a haircut.

I'd like to have dinner with you. 나는 너와 함께 저녁을 먹고 싶다.

She would like to invite you. 그녀는 너를 초대하고 싶어 한다.

❷ Would you like to + 동사원형 ~?: ~하실래요?

Would you like to take a walk with me? 저와 산책하실래요?

Would you like to have something to drink? 뭐 좀 마실래요?

Would you like to eat chicken salad? 치킨 샐러드 드실래요?

★ would rather

It's very cold outside. I would rather stay home. 밖이 매우 추워. 나는 차라리 집에 있는 것이 낫겠어.

I would rather not ask him for help. 나는 차라리 그에게 도움을 청하지 않는 것이 낫겠다.

I'd rather play computer games than watch TV. TV를 보느니 나는 차라리 컴퓨터 게임을 하는 것이 낫겠다.

* 「would rather+동사원형」은 '차라리 ~하는 게 낫다'라는 뜻으로 기호나 희망을 나타낸다.
would rather의 부정형은 「would rather not+동사원형」이다.

Practice

Answers p.04

A 다음 밑줄 친 부분을 어법에 맞게 고쳐 쓰시오.

1 I would not rather talk about the incident.

2 She would like study fashion design in college.

3 You didn't have better play computer games too often.

4 Seth used to making lots of trouble, but he is a good boy now.

Hint

「used to+동사원형」~하곤 했다

I used to exercise a lot.
나는 운동을 많이 했었다.

「be used to+동사원형」
~하는 데 사용된다

This machine is used to make bottles.
이 기계는 병을 만드는 데 사용된다.

「be used to -ing」
~하는 데 익숙하다

I'm used to studying by myself.
나는 혼자 공부하는 데 익숙하다.

B 다음 〈보기〉에서 알맞은 것을 골라 대화를 완성하시오.

보기	would like to	used to	would rather	had better

1 A: Wow, this hotel looks old, but very nice.
B: It ______________ be an old castle.

2 A: What do you want for dinner?
B: I ______________ have some Italian food.

3 A: You ______________ call your parents before they start worrying.
B: Oh, I forgot about that.

4 A: Do you want to take your brother to the movies?
B: No. I ______________ study math than spend time with him.

Hint

「would like+(대)명사」는 「want+(대)명사」의 의미로 like 다음에 바로 (대)명사가 온다.

Would you like some chocolate?
초콜릿 좀 드실래요?

「would rather A than B」
B 하느니 차라리 A 하겠다

A와 B가 병렬구조를 이루고 동사원형이 온다.

C 다음 우리말과 같은 뜻이 되도록 주어진 단어를 배열하여 문장을 완성하시오.

1 Joe는 세계 역사에 관심을 가지곤 했다. (to, be, used)
→ Joe ______________________ interested in world history.

2 나는 설거지를 하느니 차라리 집 청소를 하는 게 낫겠다. (rather, would, clean)
→ I ______________________ the house than do the dishes.

3 우리는 파티에 너무 많은 사람을 초대하지 않는 게 좋겠어. (better, not, had, invite)
→ We ______________________ too many people to the party.

4 음식을 더 드시겠어요? (eat, like, would, to, you)
→ ______________________ more food?

Eng-Eng VOCA

incident	an unpleasant thing that happens
design	the way something has been planned and made
trouble	problems or difficulties
castle	a large building with high, thick walls that was built to protect against attack
do the dishes	to wash the dishes

A 다음 단어의 의미가 비슷한 것끼리 연결하시오.

1 can	•	•	don't need to
2 had better not	•	•	want to
3 must	•	•	shouldn't
4 don't have to	•	•	have to
5 would like to	•	•	be able to

B 다음 괄호 안에서 알맞은 것을 고르시오.

1 The door is locked. He (cannot / don't have to) be home.

2 You (shouldn't / need not) make the same mistake again. This is your last chance.

3 I (will / would) rather not ask him for help.

4 Louise used to (work / working) for a bank.

5 She was (not able to / able to not) pass the entrance exam.

C 다음 〈보기〉에서 알맞은 단어를 골라 문장을 완성하시오.

보기 might used to will ought to must not

1 You ________________ see a doctor. You look really bad.

2 ________________ you close the window? It's windy outside.

3 It ________________ rain this afternoon. It is really humid now.

4 There ________________ be an old house, but now there is a hospital.

5 You ________________ stay up late at night. You have to go to school tomorrow.

Chapter 03

수동태

Lesson 1 능동태와 수동태 ★ 수동태의 여러 가지 형태

Lesson 2 수동태의 시제 ★ 조동사가 있는 수동태 ★ 「by+행위자」의 생략

Grammar
Lesson 1

★ 능동태와 수동태

❶ 의미

능동태 행위자 중심	A lot of teenagers **love** the rock band. 많은 십대들이 그 록 밴드를 좋아한다. Greg **washes** his car every week. Greg는 매주 자신의 차를 세차한다. * 주어가 동작이나 행위의 주체가 되어 '주어가 목적어를 ~한다'라는 의미
수동태 동작을 당한 사람, 사물 중심	The rock band **is loved** by a lot of teenagers. 그 록 밴드는 많은 십대들에 의해 사랑 받는다. Greg's car **is washed** by him every week. Greg의 차는 매주 그에 의해 세차된다. * 주어가 동작이나 행위를 당하거나 영향을 받는 대상이 되어 '주어가 ~에 의해서 …되어진다/당하다'라는 의미

❷ 능동태를 수동태로 바꾸기

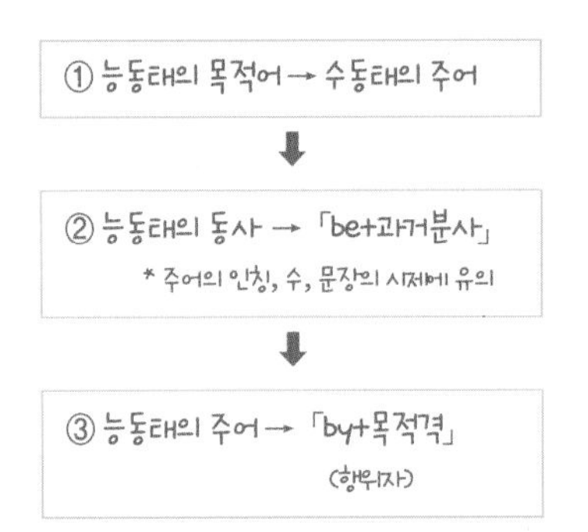

★ 수동태의 여러 가지 형태

❶ 긍정문: 「be동사+과거분사(+by+행위자)」

The house **is painted** by him every year. 그 집은 그에 의해 매년 페인트칠해진다.

Blue jeans **are worn** by people of all ages. 청바지는 모든 연령대의 사람들에 의해 입어진다.

❷ 부정문: 「be동사+not+과거분사(+by+행위자)」

Rome **was not built** in a day. 로마는 하루아침에 이루어지지 않았다.

The beach **is not visited** by many tourists. 그 해변은 많은 관광객이 방문하지 않는다.

❸ 의문문

▷ 의문사가 없는 의문문: 「be동사+주어+과거분사(+by+행위자)?

Did Kafka **write** this book? Kafka가 이 책을 썼니?

→ **Was** this book **written** by Kafka? 이 책은 Kafka에 의해 쓰여졌니?

▷ 의문사가 주어인 경우: 「by+의문사의 목적격(whom)+be동사+주어+과거분사?」

Who wrote this book? 이 책을 누가 썼니?

→ **By whom was** this book **written**? 이 책은 누구에 의해 쓰여졌니?

▷ 의문사가 주어가 아닌 경우: 「의문사+be동사+주어+과거분사(+by+행위자)?」

When did Kafka **write** this book? Kafka는 언제 이 책을 썼니?

→ **When was** this book **written** by Kafka? 이 책은 언제 Kafka에 의해 쓰여졌니?

Practice

Answers p.05

A 다음 밑줄 친 부분을 어법에 맞게 고쳐 쓰시오.

1 The door was closing by heavy wind.

2 Light bulbs were invented not by Albert Einstein.

3 The SAT is took by more than two million students.

4 This website was design by my brother a year ago.

B 다음 능동태 문장은 수동태 문장으로, 수동태 문장은 능동태 문장으로 바꾸시오.

1 Fish are caught by fishermen.

→ ______________________________

2 My sister doesn't clean her room.

→ ______________________________

3 A party was held by Jessica last Friday.

→ ______________________________

4 Do the people elect the president?

→ ______________________________

C 다음 〈보기〉에서 알맞은 것을 골라 수동태 형태로 바꿔 쓰시오.

보기	break	take	build	use

1 A: Where ________ these pictures ________?
B: I took them during my trip to Vancouver.

2 A: Who broke the mirror in the hall?
B: The mirror ________ ________ by Jacob.

3 A: ________ Chinese ________ in the Philippines?
B: No, it isn't. They mainly speak English and Tagalog.

4 A: By whom ________ the Pyramids ________?
B: The ancient Egyptians made them, but some people say aliens made them.

Eng-Eng VOCA

heavy	great in amount or degree
invent	to create something useful for the first time
mainly	mostly
ancient	belonging to a time that was long ago in the past
alien	a creature that comes from another planet

Grammar Lesson 2

★ 수동태의 시제

현재 수동태 ~되다 / 당하다	「am/are/is + 과거분사(+ by + 행위자)」 His music **is enjoyed by** people all around the world. 그의 음악을 전 세계 사람들이 즐긴다.
과거 수동태 ~되었다 / 당했다	「was/were + 과거분사(+ by + 행위자)」 The Eiffel Tower **was built by** engineer Gustave Eiffel. 에펠 탑은 엔지니어 Gustave Eiffel에 의해 지어졌다.
미래 수동태 ~될 것이다 / 당할 것이다	「will + be + 과거분사(+ by + 행위자)」 The riddle **will be solved** soon **by** Peter. 그 수수께끼는 Peter에 의해 곧 풀릴 것이다.
진행 수동태 ~되고 있는 / 당하고 있는 중이다	「be동사 + being + 과거분사(+ by + 행위자)」 My broken computer **is being repaired by** a repairman. 내 고장 난 컴퓨터는 수리공에 의해 수리되고 있는 중이다.
완료 수동태 ~되어 왔다	「have/has + been + 과거분사(+ by + 행위자)」 These trees **have been grown by** my parents. 이 나무들은 우리 부모님에 의해 재배되었다.

★ 조동사가 있는 수동태

These books **must be returned** before the library closes. 도서관이 닫기 전에 이 책들은 반납되어야 한다.

Trash **should be taken out** every Monday. 쓰레기를 월요일마다 내놓아야 한다.

The report **cannot be completed** by next Monday. 그 보고서는 다음 주 월요일까지 마칠 수 없다.

* 「조동사+be+과거분사(+by+행위자)」의 형태를 취한다.

★ 「by+행위자」의 생략

❶ 행위자가 we, you, they, people과 같이 일반적인 경우

Four languages **are spoken** in Switzerland. 네 개의 언어가 스위스에서 쓰인다.

All school rules **should be followed** at all times. 모든 교칙은 항상 지켜져야 한다.

❷ 행위자를 나타내지 않아도 분명한 경우

What subjects **are taught** at college? 대학에서 어떤 과목을 가르치니?

The flight **was delayed** because of thick fog. 짙은 안개 때문에 비행기가 지연되었다.

❸ 행위자를 알 수 없거나 중요하지 않은 경우

Dinner **will be served** at 6 p.m. 저녁식사는 오후 6시에 제공될 것이다.

Thousands of people **were killed** in the Civil War. 남북전쟁에서 수천 명의 사람들이 죽었다.

Practice

Answers p.05

A 다음 주어진 단어를 이용하여 문장을 완성하시오.

1 The new stadium ______________________ now. (build)

2 Daniel ______________________ by his boss yesterday. (fire)

3 Gandhi ______________________ by people for a long time. (respect)

4 The decision ______________________ by the judge tomorrow. (make)

5 Many accidents ______________________ by drunk-drivers every year. (cause)

B 다음 우리말과 같은 뜻이 되도록 주어진 단어를 이용하여 문장을 완성하시오.

1 너는 벌에 쏘여 본 적이 있니? (sting, a bee)

→ Have you ever ______________________?

2 그 보물 상자는 금화로 가득 차 있었다. (fill, gold coins)

→ The treasure box ______________________.

3 그 제안은 Nick에 의해 받아들여질지도 몰라. (may, accept)

→ The offer ______________________ by Nick.

Hint

by 이외의 전치사를 쓰는 수동태

be filled with ~ ~로 가득 차 있다

be interested in ~ ~에 관심이 있다

be surprised at ~ ~에 놀라다

be covered with ~ ~로 덮여 있다

C 다음 문장을 수동태 문장으로 바꿔 쓰시오.

1 We should keep milk in a fridge.

→ ______________________ in a fridge.

2 Kathy is writing Christmas cards.

→ ______________________ by Kathy.

3 He has not finished his homework yet.

→ ______________________ by him.

4 Anyone can use this program easily.

→ ______________________ by anyone.

Eng-Eng VOCA

fire	to force someone to leave his/her job
respect	to have a very good opinion of someone
judge	a person who has the power to make decisions on legal cases
cause	to make something happen
sting	to hurt a person by piercing his/her skin with something sharp or pointed

VOCA in Grammar

A 다음 주어진 단어의 과거형과 과거분사를 알맞게 연결하시오.

1 write •	• wrote •	• writen
	• writed •	• written
2 put •	• put •	• put
	• putted •	• putted
3 stop •	• stoped •	• stoped
	• stopped •	• stopped
4 begin •	• began •	• begun
	• begined •	• begined
5 take •	• took •	• taked
	• taked •	• taken

B 다음 괄호 안에서 알맞은 것을 고르시오.

1 Dinner will (serve / be served) at 6 p.m.

2 Greg (washes / is washed) his car every week.

3 The riddle will be solved soon (by / at) Peter.

4 My broken computer is (been / being) repaired.

5 Four languages (speak / are spoken) in Switzerland.

C 다음 〈보기〉에서 알맞은 단어를 골라 문장을 완성하시오. (중복 불가)

보기 enjoyed built grown completed taught

1 What subjects are ______________ at college?

2 The report cannot be ______________ by next Monday.

3 These trees have been ______________ by my parents.

4 His music is ______________ by people all around the world.

5 The Eiffel Tower was ______________ by engineer Gustave Eiffel.

Chapter 04

to부정사

Grammar
Lesson 1

★ 명사적 용법 「to+동사원형」의 형태로 명사처럼 문장에서 주어, 보어, 목적어 역할을 한다.

❶ 주어 역할: ~하는 것은, ~하기는 (문장의 주체)

To build model airplanes is interesting. 모형 비행기를 조립하는 것은 재미있다.

To become popular was the singer's dream. 인기를 얻는 것이 그 가수의 꿈이었다.

To answer the question was very difficult. 그 질문에 답하는 것은 매우 어려웠다.

❷ 보어 역할: ~하는 것(이다) (문장에서 주어나 목적어를 보충 설명)

Her job is to report news to people. (주격보어) 그녀의 직업은 사람들에게 뉴스를 보도하는 것이다.

True friendship is to share joy and pain. (주격보어) 진실한 우정은 기쁨과 고통을 나누는 것이다.

His parents tell him to be honest. (목적격보어) 그의 부모님은 항상 그에게 정직하라고 말한다.

❸ 목적어 역할: ~하는 것을, ~하기를 (동작의 대상이 되는 목적어)

to부정사를 목적어로 취하는 동사
want, hope, plan, decide, learn, agree, need, promise ...

I want to know more about you. 나는 너에 대해 더 많이 알고 싶다.

He decided to return to his own country. 그는 고국으로 돌아가기로 결정했다.

They agreed to join the contest. 그들은 대회에 참가하기로 합의했다.

❹ 의문사+to부정사: 문장에서 명사처럼 쓰여 주어, 보어, 목적어 역할을 한다.

what+to부정사	when+to부정사	where+to부정사	how+to부정사
무엇을 ~할지	언제 ~할지	어디서/어디로 ~할지	어떻게 ~하는지

I didn't know what to say. 나는 뭐라고 해야 할지 알지 못했다.

Please tell me when to stop. 언제 멈추어야 하는지 얘기해 주세요.

A man asked me where to buy postcards. 한 남자가 나에게 어디서 우표를 살 수 있는지 물었다.

Can you tell me how to use the copy machine? 복사기를 어떻게 사용하는지 알려줄래?

* 「why+to부정사」는 사용하지 않는다.

❺ to부정사의 부정: 「not+to+동사원형」 또는 「never+to+동사원형」

He promised not to be late again. 그는 다시는 늦지 않겠다고 약속했다.

To be or not to be: that is the question. 죽느냐 사느냐, 그것이 문제로다.
(From Shakespeare's *Hamlet*)

Practice

Answers p.06

A 다음 밑줄 친 부분을 어법에 맞게 고쳐 쓰시오.

1 To travels by bicycle is a lot of fun.

2 My homework is to writing an essay.

3 She wants to buying a pair of shoes.

4 Her plan was to climbed the world's highest mountain.

Plus 목적격보어로 to부정사를 취하는 동사

「주어+동사+목적어+목적격보어」 어순의 문장에서 동사가 tell, order, want, ask, allow, expect 등일 경우 목적격보어로 to부정사가 온다.

My English teacher asked me to write a story.
영어 선생님이 나에게 이야기를 쓰라고 했다.

Parents want their children to be healthy.
부모는 자신들이 아이들이 건강하기를 바란다.

B 다음 우리말과 같은 뜻이 되도록 주어진 동사를 이용하여 문장을 완성하시오.

1 축구를 하는 것은 재미있다. (play)
→ ________ ________ soccer is fun.

2 Ben의 꿈은 자신의 농장을 소유하는 것이었다. (have)
→ Ben's dream was ________ ________ his own farm.

3 그들은 그 경기를 취소하기로 합의했다. (cancel)
→ They agreed ________ ________ the game.

4 그는 경제학을 전공하기로 결정했다. (major)
→ He has decided ________ ________ in economics.

C 다음 우리말과 같은 뜻이 되도록 빈칸에 알맞은 말을 〈보기〉에서 골라 쓰시오.

보기 when to what to where to how to

1 우리는 언제 떠날지 아직 결정하지 않았다.
→ We haven't decided ________________ leave yet.

2 그는 어디서 버스에서 내려야 하는지 알지 못했다.
→ He didn't know ________________ get off the bus.

3 Emily는 나에게 병원에 어떻게 가는지 알려주었다.
→ Emily told me ________________ get to the hospital.

4 나는 아버지의 생신 때 무엇을 드려야 할지 여전히 생각 중이다.
→ I am still thinking about ________________ give my father for his birthday.

Eng-Eng VOCA

essay	a short piece of writing about a particular subject
farm	an area of land used for growing crops or keeping animals
decide	to make a choice about something
major in	to study something as your main subject at college or university
economics	the study of how money and goods are produced and used

Lesson 2

★ 형용사적 용법 to부정사가 '~해야 할'이라는 의미로 앞에 있는 (대)명사를 수식하는 형용사 역할을 한다.

❶ 「(대)명사+to부정사」

I have something to discuss with you. 나는 너와 상의할 것이 있다.

He gave me a magazine to read. 그가 나에게 읽을 잡지 한 권을 주었다.

❷ 「(대)명사+to부정사+전치사」

We have no chair to sit on. 우리에겐 앉을 의자가 없다.

They are looking for a house to live in. 그들은 살 집을 찾고 있다.

* (대)명사가 전치사의 목적어인 경우 to부정사 뒤에 반드시 전치사를 써야 한다.

★ 부사적 용법 to부정사가 부사처럼 동사나 형용사, 또는 다른 부사를 수식해 목적, 원인, 이유 등을 나타낸다.

❶ 목적 '~하기 위해서', '~하려고'의 의미로 「in order to+동사원형」으로 바꿔 쓸 수 있다.

Dad turned on the TV to watch the news.

→ Dad turned on the TV in order to watch the news. 아빠는 뉴스를 보려고 TV를 켰다.

Many people gathered to celebrate New Year's Day. 많은 사람이 신년을 축하하기 위해 모였다.

❷ 감정의 원인 · 이유 '~하게 되어서', '~해서'

I'm happy to be here with you. 너와 함께 여기 있게 되어 기쁘다.

We were sad to hear the bad news. 우리는 나쁜 소식을 듣고 슬펐다.

❸ 판단의 근거 '~하다니'

I must be foolish to make the same mistake. 똑같은 실수를 저지르다니 나는 바보인 게 틀림없어.

He may be wise to make such a decision. 그런 결정을 내리다니 그가 현명한 건지도 모른다.

❹ 형용사 · 부사를 수식 '~하는 데', '~하기에'

True love is hard to find these days. 요즘 진정한 사랑을 찾기는 어렵다.

This software is easy to use. 이 소프트웨어는 사용하기 쉽다.

❺ 결과 '~해서 (결과) …하다'

The little boy grew up to be a handsome guy. 그 작은 소년은 자라서 잘생긴 남자가 되었다.

She woke up to find herself lying on the floor. 그녀가 잠에서 깨어보니 마룻바닥에서 자고 있었다.

Practice

A 다음 밑줄 친 부분을 어법에 맞게 고치시오.

1 I have nobody to talk.

2 It is to throw your turn the dice.

3 Everyone needs a house to live.

4 We are looking for a hotel stay at in Paris.

5 Tom washed the dishes to helped his mother.

6 Emma often reads English novels to learned new words.

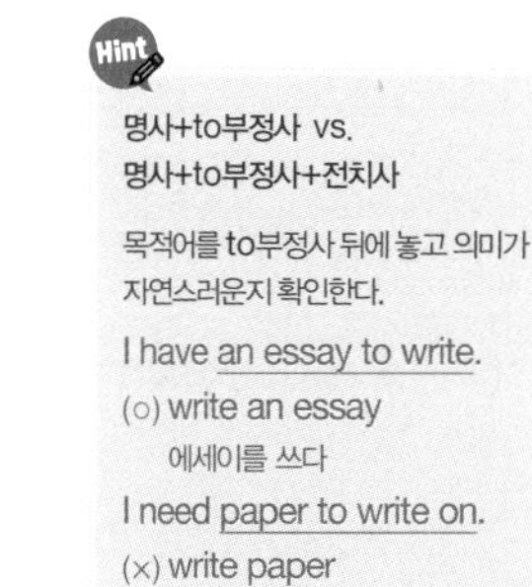

Hint

명사+to부정사 vs.
명사+to부정사+전치사

목적어를 to부정사 뒤에 놓고 의미가 자연스러운지 확인한다.

I have an essay to write.
(o) write an essay
에세이를 쓰다
I need paper to write on.
(x) write paper
종이를 쓰다
(o) write on paper
종이 위에 쓰다

B 다음 〈보기〉에서 알맞은 것을 골라 to부정사의 형태로 바꿔 쓰시오. (중복 불가)

보기	help	shout	say	understand	hear

1 All of his movies are difficult ______________.

2 I was very glad ______________ from you again.

3 My parents must be very angry ______________ at me.

4 I need somebody ______________ me with this homework.

5 I just called ______________, "Happy birthday to you."

Plus

「-thing/-one/-body+형용사+to부정사」의 어순에 주의한다.

I would like something cold to drink.
나는 시원한 마실 것을 원한다.
She needs someone strong to help her.
그녀는 자신을 도울 힘센 누군가가 필요하다.

C 다음 우리말과 같은 뜻이 되도록 주어진 단어를 이용하여 문장을 완성하시오.

1 나는 같이 놀 친구들이 없었다. (play, friends, with)

→ I had no ________ ________ ________ ________.

2 나는 내 강아지를 잃어서 매우 슬펐다. (lose, puppy)

→ I was very sad ________ ________ ________ ________.

3 그녀는 책을 몇 권 반납하러 도서관에 갔다. (some, books, return)

→ She went to the library ________ ________ ________ ________.

4 솔로몬은 자라서 훌륭한 왕이 되었다. (grow up, be)

→ Solomon ________ ________ ________ ________ a great king.

Eng-Eng VOCA

throw	to make something move through the air by quickly moving your arm and hand forward
turn	a chance or duty to do something before or after other people
dice	a small cube with one to six dots on each side that is used in games
shout	to say something very loudly
return	to put something back in the place that it came from

Grammar
Lesson 3

★ 가주어와 진주어

To get up early is a good habit. 일찍 일어나는 것은 좋은 습관이다.
주어

→ It is a good habit to get up early.
가주어 진주어

To ask a woman her age is rude. 여자 나이를 묻는 것은 실례이다.

→ It is rude to ask a woman her age.

To be a good parent is not easy. 좋은 부모가 되는 것은 쉽지 않다.

→ It is not easy to be a good parent.

* to부정사가 이끄는 구가 주어로 오는 경우, to부정사 주어를 문장 뒤로 보내고 그 자리에 it을 쓴다.
이때 it은 아무런 의미가 없는 주어로 '가주어'라 하고 뒤로 보내진 to부정사 주어가 실질적인 주어이므로 '진주어'라고 부른다.

★ to부정사의 의미상의 주어

❶ 「for+목적격」을 취하는 형용사: difficult, hard, easy, important, necessary, dangerous 등 일반 형용사

It is difficult for me to answer your questions. 내가 네 질문에 답하는 건 힘들어.

It was impossible for Dean to do the work. Dean이 그 일을 하는 것은 불가능했다.

❷ 「of+목적격」을 취하는 형용사: kind, nice, wise, silly, foolish, polite, rude 등 사람의 성질, 성격을 나타내는 형용사

It is very kind of you to help the lady. 그 부인을 도와주다니 넌 정말 친절하구나.

It is foolish of me to lose the tickets. 그 표를 잃어버리다니 난 어리석어.

* 「It is/was+형용사+to부정사」 구문일 때 「for+목적격」 또는 「of+목적격」으로 to부정사의 의미상의 주어를 나타낸다.

★ to부정사의 관용 표현

❶ 「too+형용사/부사+to부정사」: 너무 ~해서 …할 수 없다 (= so ~ that + 주어 + can't/couldn't …)

He was too young to see the movie. 그는 너무 어려서 그 영화를 볼 수 없었다.

= He was so young that he couldn't see the movie.

Dylan is too shy to ask her out. Dylan은 너무 소심해서 그녀에게 데이트 신청을 할 수 없다.

= Dylan is so shy that she can't ask her out.

❷ 「enough+형용사/부사+to부정사」: ~할 만큼 (충분히) …하다 (= so ~ that + 주어 + can/could …)

She is rich enough to buy a plane. 그녀는 비행기를 살 만큼 부자이다.

= She is so rich that she can buy a plane.

Anna was brave enough to try bungee jumping. Anna는 번지 점프를 시도할 만큼 용감했다.

= Anna was so brave that she can try bungee jumping.

Practice

Answers p.06

A 다음 가주어 · 진주어 구문을 이용하여 문장을 다시 쓰시오.

1 To park a car is difficult for me.

→ ______________________________

2 To ride a bike with a helmet is safe.

→ ______________________________

3 To live in another country is an exciting experience.

→ ______________________________

Plus

to부정사의 의미상의 주어를 따로 표시하지 않는 경우

① 문장의 주어나 목적어와 to부정사의 의미상의 주어가 일치할 때

He wanted to hold her hand.
그는 그녀의 손을 잡고 싶었다.

He wanted me to hold his hand.
그는 내가 그의 손을 잡길 원했다.

② 의미상의 주어가 일반적인 사람을 나타낼 때

It is dangerous to drive fast.
빨리 운전하는 것은 위험하다.

B 다음 두 문장이 같은 뜻이 되도록 문장을 완성하시오.

1 Tom was too busy to have lunch.

→ Tom was ______________________________ lunch.

2 She is smart enough to refuse the offer.

→ She is ______________________________ the offer.

3 The sky was too bright to open my eyes.

→ The sky was ______________________________ my eyes.

4 The room is big enough to hold forty people.

→ The room is ______________________________ forty people.

C 다음 우리말과 같은 뜻이 되도록 주어진 단어를 배열하여 문장을 완성하시오.

1 그녀가 그를 믿다니 어리석구나. (silly, it, her, is, believe, of, him, to)

→ ______________________________

2 너무 추워서 수영을 할 수가 없었다. (was, too, cold, swim, to, it)

→ ______________________________

3 그는 농구 선수가 될 만큼 충분히 키가 크다.
(is, tall, to, a basketball player, enough, he, be)

→ ______________________________

Hint

enough의 위치

「형용사/부사+enough+to부정사」

He was fast enough to win the race.
그는 경기에 이길 만큼 충분히 빨랐다.

「enough+명사+to부정사」

He didn't have enough time to have a chat.
그는 이야기할 만큼 충분한 시간이 없었다.

Eng-Eng VOCA

refuse	to say firmly that you will not do what someone has asked you to do
offer	the act of giving someone the opportunity to accept something
hold	to have enough space for an amount
helmet	a hard hat that you wear to protect your head
experience	an event or activity that affects you in some way

A 다음 주어진 단어에 맞도록 의미를 바르게 연결하시오.

1 decide •
2 hope •
3 allow •
4 agree •
5 order •

a. to say yes to an idea, plan, suggestion, etc.
b. to make a choice or judgment about something
c. to tell someone that they must do something
d. to want something to happen or be true
e. to let someone do or have something, or let something happen

B 다음 괄호 안에서 알맞은 것을 고르시오.

1 I didn't know (why / what) to say.
2 He promised (to not / not to) be late again.
3 They agreed (joining / to join) the contest.
4 (It / That) is a good habit to get up early.
5 We have no chair to sit (on / with).

C 다음 〈보기〉에서 알맞은 단어를 골라 문장을 완성하시오.

보기 enough of for order so

1 He was ______________ young that he couldn't see the movie.
2 Dad turned on the TV in ______________ to watch the news.
3 She is rich ______________ to buy a plane.
4 It is very kind ______________ you to help the lady.
5 It was impossible ______________ Dean to do the work.

Chapter 05
동명사

Lesson 1 동명사의 역할
Lesson 2 동명사와 to부정사
Lesson 3 분사 ★ 동명사 vs. 현재분사

Grammar
Lesson 1

★ 동명사의 역할 동명사는 「동사원형+-ing」의 형태로, 명사처럼 문장에서 주어, 보어, 목적어 역할을 한다.

❶ 주어 역할: ~하는 것은, ~하기는

Traveling to another country is interesting. 다른 나라를 여행하는 것은 흥미롭다.

Having breakfast is very good for your health. 아침 식사를 하는 것은 너의 건강에 매우 좋다.

Taking a vacation in December is popular in Australia. 호주에서는 12월에 휴가를 가는 것이 일반적인 일이다.

❷ 보어 역할: ~하는 것(이다), ~하기(이다)

My favorite hobby is **growing** flowers. 내가 가장 좋아하는 취미는 화초를 키우는 것이다.

His future dream is **being** a great director. 그의 장래 희망은 훌륭한 감독이 되는 것이다.

Her job is **selling** children's clothes on the Internet. 그녀의 직업은 인터넷으로 아동복을 파는 것이다.

❸ 목적어 역할: ~것을, ~하기를

> **동명사를 목적어로 취하는 동사:** avoid, delay, enjoy, finish, mind, give up …

I enjoy **going** to the flea market with my friends. 나는 친구들과 벼룩시장에 가는 것을 즐긴다.

We finished **writing** Christmas cards. 우리는 크리스마스카드를 쓰는 것을 끝냈다.

Sarah avoids **watching** horror movies. Sarah는 공포 영화 보는 것을 피한다.

❹ 전치사의 목적어 역할

Thank you for **inviting** us to the party. 우리를 파티에 초대해 주셔서 감사합니다.

She is thinking about **changing** her name. 그녀는 자신의 이름을 바꿀까 생각 중이다.

Brian is very good at **painting**. Brian은 그림을 아주 잘 그린다.

❺ 동명사의 부정: 「not+동명사」 또는 「never+동명사」

I'm sorry for **not telling** you about this sooner. 이것에 대해 더 일찍 말씀 드리지 못해 죄송합니다.

Daniel has a habit of **never eating** anything after 7 p.m. Daniel은 오후 일곱 시 이후에 아무것도 먹지 않는 습관이 있다.

Practice

Answers p.07

A 다음 주어진 동사를 동명사로 바꿔 문장을 완성하시오.

1 Her hobby is ________________ pictures. (take)

2 Aunt Debbie enjoys ________________ muffins. (make)

3 Would you mind ________________ the door, please? (close)

4 My brother is very good at ________________ the flute. (play)

5 ________________ late at night is not good for your health. (eat)

Hint

동명사(구)가 문장의 주어일 경우 **단수동사**를 쓴다.

Drawing is my life.
그림을 그리는 것은 내 삶이다.

Drawing animals is my hobby.
동물을 그리는 것이 내 취미이다.

B 다음 밑줄 친 부분을 우리말로 옮기시오.

1 Susie gave up looking for her purse.

2 Walking in the rain makes me feel good.

3 Nick is avoiding meeting Allen these days.

4 My worst habit is not brushing my teeth every night.

5 She is a teacher, but her dream was being an opera singer.

Plus

동명사의 의미상 주어는 일반적으로 「소유격/목적격+동명사」로 나타낸다. 하지만, 동명사의 행위자가 주어, 목적어와 같거나 일반인일 경우 의미상의 주어를 쓰지 않는다.

의미상의 주어가 I인 경우

Do you mind my/me closing the window?
제가 문을 닫아도 될까요?

의미상의 주어가 you인 경우

Do you mind closing the window?
문 좀 닫아주시겠어요?

C 다음 우리말과 같은 뜻이 되도록 주어진 단어를 배열하여 문장을 완성하시오.

1 그는 청소하는 것을 좋아하지 않는다. (he, like, cleaning, doesn't)

→ ________________________________

2 당신을 기다리게 해서 죄송합니다. (making you wait, I, for, sorry, am)

→ ________________________________

3 우리 할머니의 취미는 뜨개질이다. (hobby, my grandmother's, knitting, is)

→ ________________________________

4 내 목표는 수학에서 만점을 맞는 것이다. (in math, is, getting a perfect score, my goal)

→ ________________________________

Eng-Eng VOCA

hobby	an activity that you enjoy doing in your free time
avoid	to keep away from someone/something; to try not to do something
habit	something that a person does often in a regular and repeated way
knit	to make clothing from wool by using long needles
goal	something that you hope to achieve in the future

Grammar
Lesson 2

★ 동명사와 to부정사

❶ to부정사와 동명사를 목적어로 취하는 동사

to부정사를 목적어로 취하는 동사	agree, ask, choose, decide, expect, hope, learn, need, plan, promise, refuse, want ...
동명사를 목적어로 취하는 동사	avoid, delay, enjoy, finish, give up, keep, mind, quit, suggest, practice ...
to부정사와 동명사를 모두 목적어로 취하는 동사	like, start, love, hate, begin ...

She **wanted** to talk to me. 그녀는 나와 얘기하기를 원했다.

Ben doesn't **mind** sharing his room with his cousin. Ben은 사촌과 자신의 방을 함께 쓰는 것을 꺼려하지 않는다.

Jack **likes** sleeping[to sleep] late on Saturdays. Jack은 토요일마다 늦잠 자는 것을 좋아한다.

❷ to부정사와 동명사를 목적어로 취하지만, 의미가 달라지는 동사

remember + to부정사 ~할 것을 기억하다	**remember + 동명사** ~한 것을 기억하다
forget + to부정사 ~할 것을 잊다	**forget + 동명사** ~한 것을 잊다
try + to부정사 ~하려고 애쓰다	**try + 동명사** 시험 삼아 ~해보다

Do you **remember** to send Sue an e-mail? 너는 Sue에게 이메일을 보내야 할 것을 기억하니?

Do you **remember** sending Sue an e-mail? 너는 Sue에게 이메일을 보낸 것을 기억하니?

I **forgot** to tell her the news. 나는 그녀에게 그 소식을 말하는 것을 잊어버렸다.

I **forgot** leaving my watch at home. 나는 집에 시계를 두고 온 것을 잊어버렸다.

Sylvia **tried** to feed milk to a baby rabbit. Sylvia는 아기 토끼에게 우유를 먹이려고 애썼다.

Sylvia **tried** feeding coffee to her pet. Sylvia는 시험 삼아 그녀의 애완동물에게 커피를 먹여 보았다.

❸ 동명사의 관용 표현

be busy -ing ~하느라 바쁘다	**look forward to -ing** ~을 학수고대하다
feel like -ing ~하고 싶다	**cannot help -ing** ~하지 않을 수 없다
be used to -ing ~하는 데 익숙하다	**How/What about -ing?** ~하는 게 어때?
go -ing ~하러 가다	**spend + 시간/돈 + -ing** ~하는 데 …을 소비하다
go/keep on -ing 계속 ~하다	

I am **looking forward to seeing** you again. 당신을 다시 만나기를 학수고대합니다.

Ryan **spends** so much money **buying** clothes. Ryan은 옷을 사는 데 너무 많은 돈을 소비한다.

Practice

Answers p.07

A 다음 괄호 안에서 알맞은 것을 고르시오.

1 He avoided (to go / going) near a dog.

2 I will promise (to do / doing) my best for you.

3 Would you mind (to turn / turning) off the TV?

4 How about (to go / going) to the beach for a swim?

5 Joe is used (to get / to getting) up early in the morning.

6 He gave up (to smoke / smoking) for his health last year.

7 David is busy (to prepare / preparing) for a job interview.

B 다음 우리말과 같은 뜻이 되도록 괄호 안에서 알맞은 것을 고르시오.

1 갑자기 그는 아내에게 전화하려고 멈췄다.

→ Suddenly, he stopped (to call / calling) his wife.

2 그녀는 시험 삼아 시리얼에 오렌지 주스를 넣어 보았다.

→ She tried (to put / putting) orange juice in her cereal.

3 나는 그 목걸이를 주머니에 넣어 둔 것을 잊었다.

→ I forgot (to put / putting) the necklace in my pocket.

4 내일 아침에 나에게 모닝콜을 해야 한다는 거 기억해.

→ Remember (to give / giving) me a wake-up call tomorrow morning.

Hint

「stop+동명사」 '~하는 것을 멈추다' (동명사는 stop의 목적어)

He stopped talking to me.
그는 나에게 이야기하던 것을 멈췄다.

「stop+to부정사」 '~하기 위해서 멈추다' (to부정사는 목적을 나타내는 부사적 용법)

He stopped to talk to me.
그는 나에게 이야기를 하기 위해 멈췄다.

C 다음 두 문장이 같은 뜻이 되도록 주어진 단어를 이용하여 문장을 완성하시오.

1 Don't make silly excuses any more.

→ Stop ____________________ silly excuses. (make)

2 Don't forget. You have to pick up the laundry.

→ Don't forget ____________________ the laundry. (pick up)

3 Angela attempted to solve the math problem.

→ Angela tried ____________________ the math problem. (solve)

give up	to stop doing something, especially something that you do regularly
prepare	to get someone or something ready for something in the future
make an excuse	to give a reason to defend your behavior
laundry	clothes or sheets that need washing
attempt	to try to do something

Grammar
Lesson 3

★ 분사

❶ 분사의 형태와 역할

현재분사	「동사원형+-ing」 능동과 진행 (~하는, ~하고 있는) 명사를 수식하거나 진행시제를 만듦
과거분사	「동사원형+-ed」 수동과 완료 (~한, ~받은, ~된) 명사를 수식하거나 수동태, 완료시제를 만듦

a crying baby 울고 있는 아기 (명사 수식) a broken computer 고장 난 컴퓨터 (명사 수식)

The man is **drawing** pictures now. (진행) 그 남자는 지금 그림을 그리고 있다.
The house was **built** 100 years ago. (수동) 그 집은 100년 전에 지어졌다.
Kevin has **written** stories for me. (현재완료) Kevin은 나를 위해 이야기를 썼다.

❷ 감정을 나타내는 분사

현재분사	과거분사	현재분사	과거분사
boring 지루하게 하는	bored 지루한	interesting 흥미를 주는	interested 흥미 있는
exciting 신나게 하는	excited 신난	disappointing 실망시키는	disappointed 실망스러운
amazing 놀라운	amazed 놀란	shocking 충격을 주는	shocked 충격을 받은
surprising 놀라게 하는	surprised 놀란	tiring 지치게 하는	tired 지친

*함께 쓴 명사가 감정을 느끼게 하는 원인일 경우 현재분사를 쓰고, 함께 쓴 명사가 감정을 느끼는 주체일 경우 과거분사를 쓴다.

I heard **surprising** rumors from him. 나는 그에게서 놀라운 소문을 들었다.
People were **surprised** at the news. 사람들이 그 소식에 놀랐다.
The history class is **boring**. 역사 수업은 지루하다.
I'm **bored** with the history class. 나는 역사 수업에 지루함을 느낀다.

★ 동명사 vs. 현재분사 동명사와 현재분사 모두 「동사원형+-ing」 형태이다.

	「동사원형-ing+명사」	「be동사+동사원형-ing」
현재분사	명사를 직접 수식 a **sleeping** baby 잠자고 있는 아이 a **smoking** man 담배 피우는 남자	진행시제에서 사용 I am **reading** a book. I ≠ reading a book
동명사	명사의 용도나 목적을 나타냄 a **sleeping** bag 침낭 a **smoking** room 흡연실	보어 역할 My hobby is **reading** a book. my hobby = reading a book

Practice

Answers p.08

A 다음 주어진 단어를 이용하여 빈칸에 알맞은 말을 쓰시오.

> **Hint**
> 분사가 단독으로 쓰일 경우 명사 앞에서 명사를 수식하지만, 분사가 구를 이루어 명사를 수식할 경우 명사 뒤에서 수식한다.
> Look at the sleeping boy.
> 잠자고 있는 소년을 봐.
> Look at the boy sleeping on the sofa.
> 소파에서 잠자고 있는 소년을 봐.

1 Watching a baseball game is always ____________. (excite)
Kids were ____________ to see polar bears. (excite)

2 The movie was long and ____________, so I kept yawning. (bore)
I am so ____________, and there is nothing to do. (bore)

3 He tells an ____________ story to his son every night. (interest)
Isabelle has been ____________ in math since she was a kid. (interest)

B 다음 밑줄 친 부분을 어법에 맞게 고쳐 쓰시오.

1 The little boy stand at the door is Josh.

2 There is cook food in the refrigerator.

3 His fans were disappointing with his new album.

4 My father gathered fall leaves and burned them.

5 Yesterday, I bought two books write in Japanese.

C 다음 밑줄 친 부분이 현재분사인지 동명사인지 구분하시오.

1 I like wearing boots in winter.
Look at the girl wearing a skirt.

2 His favorite hobby is going fishing.
Tracy is going to the department store.

3 There are many animals living in the zoo.
My husband is watching TV in the living room.

4 I saw swimming dolphins, and it was amazing.
The house has a swimming pool, a garden, and terraces.

yawn	to open your mouth wide and breathe in deeply because you are tired or bored
disappointing	not as good as you hoped or expected
gather	to bring things or people together into a group
favorite	best liked or most enjoyed
living room	the main room in a house where people relax

A 다음 주어진 단어에 맞도록 의미를 바르게 연결하시오.

1 avoid •
2 enjoy •
3 delay •
4 give up •
5 mind •

a. to get pleasure from something
b. to stop doing something, especially something that you do regularly
c. to feel annoyed or upset about something
d. to prevent something bad from happening
e. to make something happen at a later time than originally planned or expected

B 다음 괄호 안에서 알맞은 것을 고르시오.

1 The student was (disappointed / disappointing) with his grades.

2 The house was (built / building) ten years ago.

3 The man is (drawn / drawing) pictures now.

4 People were (surprised / surprising) at the news.

5 I'm (bored / boring) with the history class.

C 다음 〈보기〉에서 알맞은 단어를 골라 문장을 완성하시오.

보기 look help keep spend feel

1 I cannot ________________ thinking about you.

2 What do you ________________ like doing?

3 Kate and Ashley ________________ so much money buying clothes.

4 My dogs ________________ on following me to school.

5 I ________________ forward to seeing you again.

Chapter 06

명사와 대명사

Grammar
Lesson 1

★ 가산명사와 불가산명사

가산명사 셀 수 있는 명사 • 부정관사와 함께 쓰임 • 복수형 가능	보통명사	일반적인 사람, 사물, 동물을 나타내는 명사 teacher, animal, orange, vase, restaurant, house …
	집합명사	여러 사람이나 사물이 모인 집합체를 나타내는 명사 family, police, class, team, crew …
불가산명사 셀 수 없는 명사 • 부정관사와 함께 쓸 수 없음 • 복수형 불가	물질명사	일정한 형태를 가지지 않는 물질을 나타내는 명사 water, paper, money, sugar, butter, salt, milk, tea, meat, air …
	고유명사	특정한 사람, 사물, 장소를 나타내는 명사(대문자로 시작) Jacob, September, London, Mr. Phillips, Africa …
	추상명사	눈에 보이지 않는 추상적 개념을 나타내는 명사 love, happiness, peace, friendship, beauty, health, memory, wisdom …

Flying **kites** is a lot of fun. (보통명사) 연 날리기는 정말 재미있다.
My **family** went on a trip to France. (집합명사) 우리 가족은 프랑스로 여행을 떠났다.
We can't live without **air** and **water**. (물질명사) 우리는 공기와 물이 없으면 살 수 없다.

Sean and **Angela** met in **Rome** and fell in love. (고유명사) Sean과 Angela는 로마에서 만났고 사랑에 빠졌다.
True **happiness** doesn't come from money. (추상명사) 진정한 행복은 돈에서 오지 않는다.

★ 물질명사의 수량 표현

a cup of + coffee, tea … ~ 잔	**a loaf of** + bread … ~ 덩어리
a glass of + water, juice, milk … ~ 잔	**a bowl of** + rice, cereal … ~ 공기
a piece of + paper, advice … ~ 조각	**a bottle of** + wine, water … ~ 병
a slice of + cheese, pizza, pie … ~ 조각	**a sheet of** + paper, cheese … ~ 장

I always have **a cup of** tea in the afternoon. 나는 오후에 항상 차를 한 잔 마신다.
Could you give me **a glass of** water? 저에게 물 한 잔 주시겠어요?
Why do you need **a piece of** paper and a pencil? 너는 왜 종이 한 장과 연필 하나가 필요하니?
Jasper had **three slices of** pizza for lunch. Jasper는 점심으로 피자 세 조각을 먹었다.
He brought **two bottles of** cola to my birthday party. 그는 내 생일 파티에 콜라 두 병을 가져왔다.

Practice

Answers p.08

A 다음 밑줄 친 부분을 어법에 맞게 고쳐 쓰시오.

1 Do you want some sugars in your coffee?

2 Clare loves animal, and her favorite one is a tiger.

3 I always drink two cups of green teas after dinner.

4 There are a lot of beautiful buildings in Madrid, a Spain.

5 How could a ten-years-old boy speak three languages?

6 I need a pair of scissor to cut the paper.

7 Mathematics are an interesting subject to learn.

Hint

주의해야 할 명사의 수

① shoes, pants, scissors, socks 등과 같이 한 쌍으로 된 명사는 복수형으로 쓰고, 복수 취급하며 수를 셀 때에는 「a pair of」를 사용한다.

a pair of glasses
two pairs of gloves

② mathematics, economics 등 -s로 끝나는 학과명과 news, means는 단수 취급한다.

③ 「수사+명사」가 형용사처럼 다른 명사를 수식할 경우, 수사 다음의 명사는 단수 취급한다.

a six-year-old boy (O)
a six-years-old boy (X)

B 다음 〈보기〉에서 알맞은 것을 골라 문장을 완성하시오. (필요시, 형태를 바꿀 것)

보기 loaf cup piece bowl

1 Can I have a ___________ of coffee?

2 He has eaten six ___________ of chocolate cake.

3 She always has a ___________ of cereal in the morning.

4 How much flour do I need to make three ___________ of bread?

C 다음 우리말과 같은 뜻이 되도록 주어진 단어를 바르게 배열하여 문장을 완성하시오.

1 돈으로 사랑을 살 수 없다. (love, money, buy, can't)

→ ___________________________

2 겨울에 많은 눈이 온다. (have, a lot of, in winter, snow, we)

→ ___________________________

3 무소식이 희소식이다. (no news, good news, is)

→ ___________________________

4 내가 양말 한 켤레를 빌릴 수 있을까? (borrow, socks, I, a pair of, can)

→ ___________________________

Eng-Eng VOCA

building	a structure that has a roof and walls
language	the words used by the people of a country or region
subject	an area of knowledge studied at school or university
loaf	bread that is shaped and baked in one piece
sock	a piece of clothing that is worn on your foot

Grammar
Lesson 2

★ 명사의 소유격

사람이나 동물	단수명사 + 's	Jenny's house, an elephant's nose, my sister's room
	복수명사 + s'	Parents' Day, a boys' school, girls' dresses
		Children's Day, Women's clothes *children, women 등과 같이 명사의 복수형이 –s로 끝나지 않는 경우에는 명사 뒤에 's를 붙여 나타낸다.
무생물	of + 명사	the title of the book, the bottom of the page

A **giraffe's neck** is long and thin. 기린의 목은 길고 가늘다.

Our shop sells **ladies' scarves** and **children's mittens.** 우리 가게는 여성용 스카프와 아동용 벙어리장갑을 판매한다.

I can't remember **the name of the song.** 나는 그 노래의 제목이 기억나지 않는다.

★ 재귀대명사

	1인칭	2인칭	3인칭
단수	myself	yourself	himself / herself / itself
복수	ourselves	yourselves	themselves

* '~ 자신', '스스로', '~자체'라는 의미로 인칭대명사의 소유격이나 목적격에 –self/–selves를 붙여 나타낸다.

❶ 재귀용법

When I turned twenty, I gave **myself** a present. 나는 스무 살이 되었을 때 나 자신에게 선물을 했다.

It's his fault. He should blame **himself.** 그건 그의 잘못이야. 그는 자기 자신을 비난해야 해.

* 재귀용법은 문장에서 목적어가 주어와 같은 사람, 사물임을 나타낼 때 쓴다.

❷ 강조용법

We painted the fence **(ourselves).** 우리는 우리 스스로 울타리를 칠했다.

The trip **(itself)** was tiring but a lot of fun. 여행 그 자체는 힘들었지만, 정말 재미있었다.

*주어, 목적어, 보어의 뜻을 강조하기 위해 쓰인 경우로, 강조어구 바로 뒤 또는 문장의 맨 뒤에 오며 생략할 수 있다.

❸ 재귀대명사의 관용 표현

by oneself 스스로(without help), 혼자서(alone)	**make oneself at home** 편하게 하다
enjoy oneself 즐거운 시간을 보내다	**say[talk] to oneself** 혼잣말하다
help oneself to ~을 마음껏 먹다	**teach oneself** 독학하다
between ourselves 우리끼리의 이야기로	**introduce oneself** 자기 소개하다

I was sitting **by myself** in the lobby. 나는 로비에 혼자 앉아 있었다.

Please **help yourself** to drinks and snacks. 음료와 간식을 마음껏 드세요.

He sometimes **talks to himself** in a low voice. 그는 때때로 낮은 목소리로 혼잣말을 한다.

Practice

Answers p.09

A 다음 괄호 안에서 알맞은 것을 고르시오.

1 The writer wrote many (childrens / children's) books.

2 It is a (two hours / two hours') walk from here to the park.

3 My mom kept crying until (the end of the movie / the movie of the end).

4 Tommy, take good care of (you / yourself)!

5 Jason really enjoyed the trip (him / himself).

6 I (me / myself) saw the car accident last night.

7 I looked at (me / myself) in the mirror and combed my hair.

Hint

시간, 거리, 가격, 중량을 나타내는 명사의 소유격은 무생물이지만, 's 또는 s'를 붙여 나타낸다.

ten minutes' walk, a two weeks' vacation, today's newspaper

Today's game has been canceled because of bad weather.

오늘의 경기는 날씨가 좋지 않아 취소되었다.

B 다음 우리말과 같은 뜻이 되도록 밑줄 친 부분을 바르게 고쳐 쓰시오.

1 그는 자신을 Tina의 남자친구라고 소개했다.

→ He introduced him as Tina's boyfriend.

2 그들은 식탁에 있는 음식을 마음껏 먹었다.

→ They helped them to the food on the table.

3 어버이날이 다가오고 있어! 선물을 사야겠어.

→ Parents's Day is coming! I should buy presents.

C 다음 우리말과 같은 뜻이 되도록 주어진 단어를 이용하여 문장을 완성하시오.

1 너는 오늘의 신문을 보았니? (today, newspaper)

→ Have you seen ________________?

2 Jeremy는 작년에 자기 스스로 차고를 지었다. (build, a garage)

→ Last year, Jeremy ________________.

3 Eric은 자신을 걸어 다니는 사전이라고 부른다. (call)

→ Eric ________________ a walking dictionary.

4 Erica는 스웨터 뜨는 방법을 독학했다. (teach)

→ Erica ________________ how to knit a sweater.

Eng-Eng VOCA

end	the last part of a story or movie
take care of	to do the things that are needed to help or protect someone
trip	a journey to a place
accident	a sudden, unplanned event that causes damage or injury
comb	to make hair look tidy with a comb

Grammar
Lesson 3

★ 부정대명사 I 불특정한 사물, 사람, 수량을 나타내는 대명사

❶ one

▷ 앞에 나온 명사의 반복을 피하기 위해 사용하는 대명사로, 앞에 나온 명사와 동일한 사물이 아닌 같은 종류의 사물임을 나타낸다. (단수: one, 복수: ones)

She broke my cell phone and promised to buy me a new **one**.
(one = cell phone) 그녀가 내 휴대 전화를 고장 내서 내게 새것을 사주기로 약속했어.

I don't like these red shoes. Could I try on blue **ones**? (ones = shoes)
이 빨간 신발은 마음에 들지 않네요. 파란 걸 신어 봐도 될까요?

▷ 일반인을 나타낼 때 쓴다.

One should respect others' opinions. 사람들은 다른 사람들의 의견을 존중해야 한다.

❷ another

'또 다른 하나', '하나 더'라는 의미로, 같은 종류의 다른 하나를 나타낼 때 쓴다.

I don't like this shirt. Can you show me **another**? 이 셔츠가 마음에 들지 않아요. 다른 것을 보여주세요?

I ate an ice cream, and it was good. I want to have **another**.
나는 아이스크림을 하나 먹었는데 맛있었다. 하나 더 먹고 싶다.

❸ 부정대명사 표현

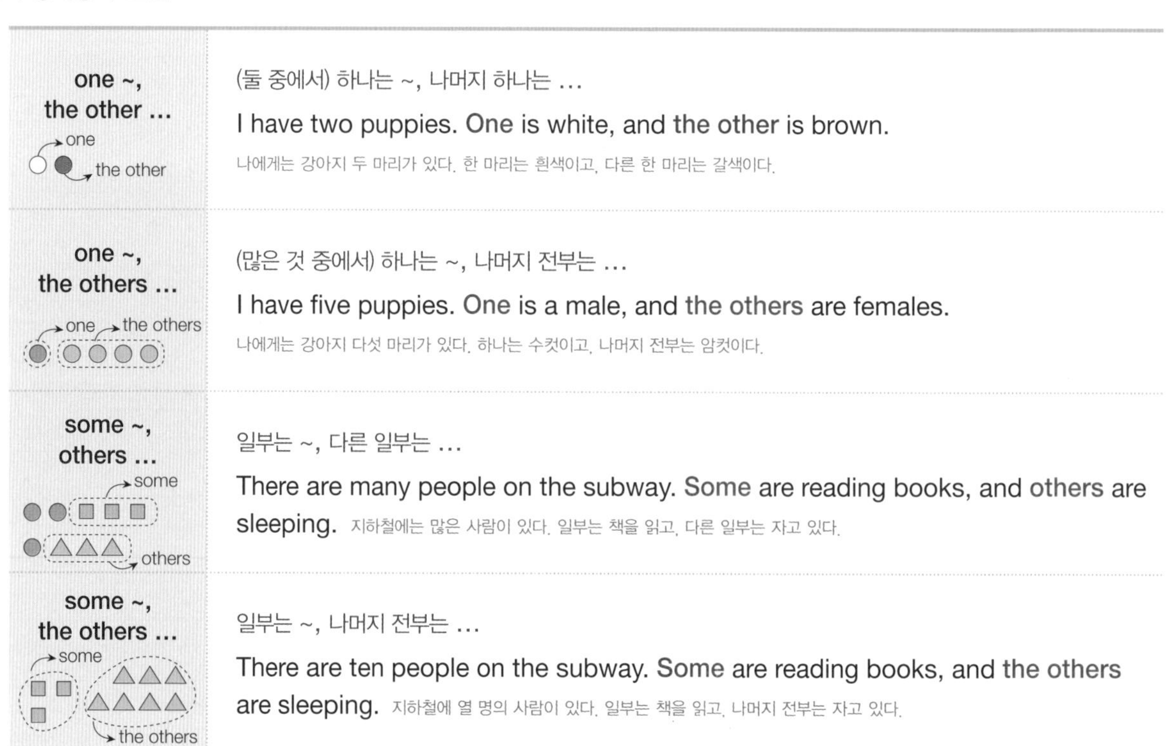

표현	의미 및 예문
one ~, the other ...	(둘 중에서) 하나는 ~, 나머지 하나는 ... I have two puppies. **One** is white, and **the other** is brown. 나에게는 강아지 두 마리가 있다. 한 마리는 흰색이고, 다른 한 마리는 갈색이다.
one ~, the others ...	(많은 것 중에서) 하나는 ~, 나머지 전부는 ... I have five puppies. **One** is a male, and **the others** are females. 나에게는 강아지 다섯 마리가 있다. 하나는 수컷이고, 나머지 전부는 암컷이다.
some ~, others ...	일부는 ~, 다른 일부는 ... There are many people on the subway. **Some** are reading books, and **others** are sleeping. 지하철에는 많은 사람이 있다. 일부는 책을 읽고, 다른 일부는 자고 있다.
some ~, the others ...	일부는 ~, 나머지 전부는 ... There are ten people on the subway. **Some** are reading books, and **the others** are sleeping. 지하철에 열 명의 사람이 있다. 일부는 책을 읽고, 나머지 전부는 자고 있다.

Practice

Answers p.09

A 다음 괄호 안에서 알맞은 것을 고르시오.

1 (It / One) should not break the law.

2 Is this your cell phone? Can I use (it / one)?

3 If you need an umbrella, I will lend you (it / one).

4 This shirt is too tight. May I try on (one / another)?

5 She has only blue pens, so she wants to buy red (them / ones).

6 Some people like hot chocolate, and (others / another) like coffee.

> **Hint**
> one vs. it
>
> one: 앞에 언급된 사물과 같은 사물이 아닌, 같은 종류의 사물일 경우
>
> The red car is fast, but I think the yellow one will win the race. (the red car ≠ one)
> 빨간색 차가 빠르지만, 난 노란색 차가 경주에서 우승할 것 같아.
>
> it: 앞에 언급된 사물과 같을 경우
>
> The red car is fast, and I think it will win the race. (the red car = it)
> 빨간색 차가 빠르고 나는 그 차가 경주에서 우승할 것 같아.

B 다음 〈보기〉에서 알맞은 것을 골라 대화를 완성하시오.

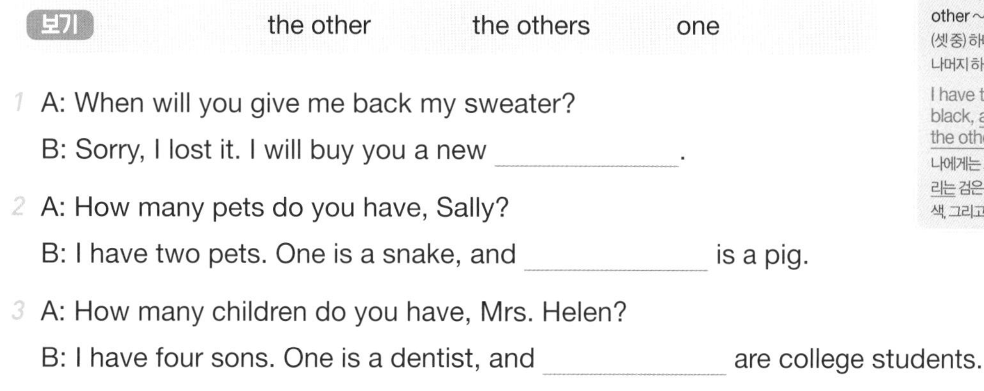

보기	the other	the others	one

1 A: When will you give me back my sweater?
B: Sorry, I lost it. I will buy you a new ____________.

2 A: How many pets do you have, Sally?
B: I have two pets. One is a snake, and ____________ is a pig.

3 A: How many children do you have, Mrs. Helen?
B: I have four sons. One is a dentist, and ____________ are college students.

> **Hint**
> 「one ~, another …, and the other ~」
> (셋 중) 하나는 ~, 또 다른 하나는 …, 나머지 하나는 ~
>
> I have three cats. One is black, another is white, and the other is gray.
> 나에게는 고양이 세 마리가 있다. 한 마리는 검은색, 또 다른 한 마리는 하얀색, 그리고 나머지 한 마리는 회색이다.

C 다음 우리말과 같은 뜻이 되도록 빈칸에 알맞은 말을 쓰시오.

1 몇몇 사람은 서 있었고, 나머지는 전부 앉아있었다.
→ Some people were standing, and ____________ were sitting.

2 나는 교과서를 잃어버려서 서점에서 하나 샀다.
→ I lost my textbook, so I bought ____________ from the bookstore.

3 나는 셔츠 네 장을 샀다. 하나는 녹색이었고, 나머지는 모두 빨간색이었다.
→ I bought four T-shirts. One was green, and ____________ were red.

4 우리는 디저트를 두 개 주문했다. 하나는 아이스크림이었고, 다른 하나는 치즈 케이크였다.
→ We ordered two different desserts. One was ice cream, and ____________ was cheesecake.

dentist	a person who treats people's teeth
college	a school that you go to after high school
stand	to be on your feet
different	not the same as someone/something
dessert	sweet food eaten at the end of a meal

Grammar
Lesson 4

★ 부정대명사 II

❶ all, both, each, every, no

all	• 「all + (of) 복수명사 + 복수동사」 All the students have gone home. 모든 학생들이 집에 갔다. • 「all + (of) 셀 수 없는 명사 + 단수동사」 All of his money is gone. 그의 모든 돈이 사라졌다. * (셋 이상의) '모든 사람', '모든 것', '모든 ~'이라는 의미로, 단독으로 쓰이거나 명사 수식
both	• 「both of + 복수명사」 He knows both of the women. 그는 그 여자 두 명을 모두 안다. • 「both + 복수명사」 I studied hard, and I passed both tests. 나는 열심히 공부했고 두 시험 모두 통과했다. * '둘 다', '양쪽 다'라는 의미로, 단독으로 쓰이거나 명사 수식
each	• 「each of + 복수명사 + 단수동사」 Each of the boys has his own room. 소년들은 각자 자신의 방을 가지고 있다. • 「each + 단수명사 + 단수동사」 Each student in the classroom has his or her chair and desk. 교실에 있는 학생들은 각자 자신의 의자와 책상을 가지고 있다. * '각자', '각각의', '각기'라는 의미로, 단독으로 쓰이거나 단수 명사 수식
every	• 「every + 단수명사」: '모든 ~'이라는 의미로, 단수명사 수식 Every person in the world is unique. 세상의 모든 사람은 특별하다. • 「every + 단수명사」: '~마다', '매 ~'의 의미로, 단수명사 수식 I go to church every Sunday. 나는 일요일마다 교회에 간다.
no	• 「no + 명사」: '어떤 ~도 없는 [아닌]'의 의미로, 명사 수식(= not any) I have no money to lend you. 나에겐 너에게 빌려 줄 돈이 없다. (= I don't have any money to lend you.)

❷ some, any

some (-body/-one/-thing)	any (-body/-one/-thing)
'어떤 사람들', '얼마간', '약간'이라는 뜻으로 가산명사 또는 불가산명사 앞에 쓴다. 수나 양을 나타내는 형용사로도 쓸 수 있다.	
Some of the students were late. 학생 중 몇 명이 늦었다. Do you want some more? 더 드실래요? * 긍정문에서 주로 사용하며, 권유의 의문문이나 긍정의 대답을 기대하는 의문문에서도 쓰인다.	There were lots of people at the party, but I didn't know any of them. 파티에 사람이 많았는데, 나는 그들 중 아는 사람이 없었다. Any student can use this room. 어떤 학생이라도 이 방을 이용할 수 있다. * 부정문, 의문문에서 주로 사용하며, 긍정문에서 쓰여 '어떤/어느 ~라도'라는 의미를 나타낸다.

Practice

Answers p.09

A 다음 〈보기〉에서 알맞은 것을 골라 문장을 완성하시오. (중복 불가)

보기 neither either both no

1 A: You can have ________ coffee or tea.
B: I'll have tea.

2 A: Are you going to the dance party this Friday?
B: No, I can't. I have ________ partner to go with.

3 A: Tom and John think differently about the issue. Which opinion do you agree?
B: I agree with ________. I have my own opinion.

4 A: Do you know any good restaurants around here?
B: There are two, and ________ of them are very good.

Hint

either vs. neither

either (둘 중) 어느 하나
: 단독으로 쓰이거나 명사 수식

「either of+복수명사+단수동사」
Either of us has to do it.
우리 둘 중 하나는 그것을 해야만 해.

「either+단수명사+단수동사」
A: Which book do you want?
어떤 책을 원해?
B: Either one is fine.
아무거나 괜찮아.

neither (둘 중) 어느 쪽도 아닌
: 단독으로 쓰이거나 명사 수식

「neither of+복수명사+단수/복수동사」
Neither of them is[are] going to come to the party.
그들 중 어느 쪽도 파티에 오지 않을 것이다.

「neither+단수명사+단수동사」
Neither answer is right.
두 개의 답 모두 맞지 않아.

B 다음 밑줄 친 부분을 어법에 맞게 고쳐 쓰시오.

1 All the houses has doors.

2 I don't have something to hide from you.

3 Every hotel rooms have a bath and toilet.

4 He has two houses. Either of them are big and beautiful.

5 Any people eat cereal for breakfast.

C 다음 우리말과 같은 뜻이 되도록 문장을 완성하시오.

1 각각의 농구 팀에는 다섯 명의 선수들이 있다. (basketball team)
→ There are five players on ________________.

2 나는 치마 두 개를 골랐는데, 둘 다 너무 짧았다. (too short)
→ I chose two skirts, but ________________.

3 나는 새 자전거를 사고 싶었지만, 돈이 없었다. (money)
→ I wanted to buy a new bike, but ________________.

Hint

all, each는 대명사로 단독으로 쓰이거나, 형용사로 명사를 수식할 수 있지만, every, no는 형용사로만 쓰여서 뒤에 명사가 와야 한다.

all은 '모두'라는 뜻을 가지고 있으며 of 다음에 정관사나 소유격 같은 한정사가 온다.

Eng-Eng VOCA

partner	a person that you are doing an activity with
issue	an important topic that people are discussing or arguing about
opinion	a belief or judgment about something
toilet	a large bowl used for getting rid of waste matter from your body
player	a person who plays a sport or game

A 다음 주어진 단어에 맞도록 의미를 바르게 연결하시오.

1 blame •
2 fence •
3 mitten •
4 promise •
5 vase •

a. to tell someone that you will definitely do something
b. to say that someone is responsible for something bad
c. a structure made of wood that surrounds a piece of land
d. a glove that doesn't have separate parts for each finger
e. a container used to put flowers in for decoration

B 다음 괄호 안에서 알맞은 것을 고르시오.

1 I can't remember the title of (the book / the book's).
2 I was sitting by (himself / myself) in the lobby.
3 True happiness (don't come / doesn't come) from money.
4 He brought two (slices / bottles) of cola to my birthday party.
5 Could you give me a (glass / loaf) of water?

C 다음 <보기>에서 알맞은 단어를 골라 문장을 완성하시오. (중복 불가)

보기 all each one another the other

1 ____________ of the boys has his own room.
2 ____________ of the students have gone home.
3 I don't like this shirt. Can you show me ____________?
4 I have two puppies. One is white, and ____________ is brown.
5 I broke his cell phone and promised to buy him a new ____________ .

Chapter 07

형용사와 부사 & 비교

Grammar
Lesson 1

★ 주의해야 할 형용사

❶ 한정적 용법과 서술적 용법 대부분의 형용사는 한정적 용법과 서술적 용법으로 모두 쓸 수 있다.

▷ 한정적 용법: 명사 앞에서 명사를 수식한다.

Do you know the name of that **pretty** girl? 너는 저 예쁜 소녀의 이름을 아니?

A **handsome** man asked me to dance with him. 잘생긴 남자가 내게 자신과 춤을 추자고 요청했다.

▷ 서술적 용법: 주어나 목적어의 성질이나 상태 등을 보충 설명한다.

Kids are **afraid** of thunder and lightning. 아이들은 천둥과 번개를 무서워한다.

I was **awake** when he knocked on the door. 그가 문을 두드릴 때 나는 깨어 있었다.

❷ 용법에 따라 의미가 달라지는 형용사

	한정	서술
certain	어떤, 특정한	확실한
present	현재의	출석한
late	죽은	늦은

There are **certain** rules to follow in this class. 이 반에서는 지켜야 할 특정한 규칙이 있다.

We are **certain** of victory in the final match. 우리는 결승전에서의 승리를 확신한다.

Do you know his **present** address? 너는 그의 현재 주소를 아니?

She was not **present** at the ceremony. 그녀는 의식에 참석하지 않았다.

Kevin wrote this song for his **late** father. Kevin은 돌아가신 그의 아버지를 위해 이 노래를 썼다.

Hurry up! We will be **late** for school again. 서둘러! 우리 학교에 또 늦겠어.

❸ -ly로 끝나는 형용사: friendly, chilly, lovely, lonely, silly 등은 -ly로 끝나는 형용사로 부사와 혼동하기 쉽다.

My neighbors are always **friendly** to me. 내 이웃들은 항상 나에게 친절해.

She looked **lovely** in a blue dress. 파란색 드레스를 입은 그녀가 사랑스러워 보였다.

It was **chilly**, so we closed the window. 날씨가 쌀쌀해서 우리는 창문을 닫았다.

❹ 「the+형용사」: '~한 사람들'이라는 의미의 복수 보통명사가 되어 복수동사를 취한다.

the poor (= poor people) 가난한 사람들	the old (= old people) 나이 든 사람들
the rich (= rich people) 부유한 사람들	the young (= young people) 젊은 사람들

The dead cannot talk. 죽은 사람들은 말을 하지 못한다.

The rich are not always happy. 부자들이 항상 행복한 것은 아니다.

People should help **the poor and sick.** 사람들은 가난하고 아픈 사람들을 도와야 한다.

Practice

Answers p.10

A 다음 밑줄 친 부분을 어법에 맞게 고쳐 쓰시오.

1 The homeless doesn't have any places to live.

2 He couldn't drive his car because he was drunken.

3 People often think the young is quick to accept changes.

4 The fish was live even when it was cut in half.

5 I was so tired that I fell sleeping during the lecture.

Hint

① 한정적 용법으로만 쓰이는 형용사
main(주요한)
live(살아 있는)
only(오직)
drunken(취한)
next(다음의)
elder(연장자의)

② 서술적 용법으로만 쓰이는 형용사
afraid(두려워하는)
alike(똑같은)
asleep(잠든)
alive(살아 있는)
alone(혼자인)
drunk(술 취한)

B 다음 〈보기〉에서 알맞은 것을 골라 문장을 완성하시오. (중복 불가)

보기	friendly	nicely	silly	stupidly

1 Fiona ____________ got on the wrong bus.

2 Dr. Greg is ____________ to all his patients.

3 I was so ____________ to believe his words.

4 He ____________ helped me find a place to stay in.

C 다음 밑줄 친 부분을 우리말로 옮기시오.

1 All the members are present at the meeting.
→ 모든 회원이 그 회의에 ____________________.

2 The museum opens only at certain times of day.
→ 박물관은 하루 중 ____________________ 개방한다.

3 The deaf use sign language to talk to each other.
→ ____________________ 서로 얘기하기 위해 수화를 사용한다.

4 He is weak to the strong, and strong to the weak.
→ 그는 ____________________ 약하고, ____________________ 강하다.

5 His late grandfather left him a large fortune.
→ ____________________ 할아버지께서 그에게 막대한 재산을 남겨주었다.

Eng-Eng VOCA

accept to agree to or approve of something
lecture a talk to a group of people about a subject
patient a person who is receiving medical treatment
deaf unable to hear anything or unable to hear very well
fortune a large amount of money

Grammar
Lesson 2

★ 주의해야 할 부사

❶ 형용사와 부사의 형태가 같은 단어

	fast	early	high	late	long	hard	near
형용사	빠른	이른	높은	늦은	긴, 길쭉한	단단한, 어려운, 힘든	가까운
부사	빨리	일찍	높이	늦게	길게, 오래	열심히, 세차게	가까이

She got up **late** and missed the **early** train. 그녀는 늦게 일어나서 새벽 기차를 놓쳤다.
It is **hard** for me to get up **early** in the morning. 나는 아침에 일찍 일어나는 것이 힘들다.

New York is a city filled with **high** buildings. 뉴욕은 높은 빌딩들로 가득 찬 도시이다.
Patrick threw a ball **high** in the air. Patrick은 공중으로 공을 높이 던졌다.

❷ -ly가 붙어 전혀 다른 의미가 되는 부사

	hard	late	high	short	near
형용사	어려운, 딱딱한	늦은	높은	짧은	가까운
부사	열심히	늦게	높이	짧게	가까이

	hardly	lately	highly	shortly	nearly
부사	거의 ~ 않다	최근에	매우, 대단히	곧, 이윽고	거의, 대략

*safely, happily 등과 같이 일반적으로 형용사에 -ly를 붙여 부사를 만들지만, -ly가 붙어 뜻이 완전히 달라지는 부사가 있다.

Math is **hard** but very interesting. 수학은 어렵지만 매우 흥미롭다.
She **hardly** gets angry with anyone. 그녀는 다른 사람에게 거의 화를 내지 않는다.

I stayed up **late** last night to watch a movie. 나는 어제 영화를 보느라 늦게까지 깨어 있었다.
Have you seen Mr. Phillips **lately**? 최근에 Phillips 씨를 본 적이 있으세요?

Sam's house is very **near** to the beach. Sam의 집은 해변과 매우 가깝다.
Nearly five thousand people were at the concert. 거의 오천 명이 콘서트에 모였다.

❸ so, such

	so	such
의미	매우, 그만큼	매우, 대단히
형태	so + 형용사/부사	such + (a(n)) + 형용사 + 명사
쓰임	주로 명사가 없는 형용사 또는 부사를 강조	명사와 함께 쓰이는 형용사를 강조

The weather is **so** beautiful today. 오늘 날씨가 매우 좋다.
William always speaks **so** fast. William은 항상 매우 빨리 말한다.

It is **such** a beautiful day. 날씨가 정말 좋은 날이구나.
Mrs. Thompson has **such** a big mouth. Thompson 부인은 정말 수다쟁이이다.

Practice

Answers p.10

A 다음 괄호 안에서 알맞은 것을 고르시오.

1 Have you met Mr. Collins (late / lately)?

2 A lot of kites were flying (high / highly) in the sky.

3 Roger studied (hard / hardly) and got good grades.

4 (Near / Nearly) one hundred people were waiting in line.

5 Jenny is (so / such) a lovely girl, and everybody likes her.

Hint

형용사와 부사로 쓰이는 well은 형태는 같지만, 형용사와 부사로 쓰일 때 각각 의미가 달라진다.

형용사: 건강한

I don't feel well today.
나는 오늘 건강이 좋지 않아.

부사: 잘, 훌륭하게

Fiona plays the piano very well.
Fiona는 피아노를 아주 잘 친다.

B 다음 밑줄 친 부분을 어법에 맞게 고쳐 쓰시오.

1 Amanda always speaks polite.

2 Come earlily in order to get a good seat.

3 Kelly jumped highly to touch the ceiling.

4 Arnold had to stay lately in the office last night.

5 She drove so fastly and got a speeding ticket.

6 Jacob waited very longly for her, but she never came back.

C 우리말과 같은 뜻이 되도록 주어진 단어와 so 또는 such를 이용하여 문장을 완성하시오.

1 하늘은 매우 맑고 파랗다. (clear)

→ The sky is ________ ________ and blue.

2 나는 당신을 만나서 매우 기뻐요. (glad)

→ I am ________ ________ to meet you.

3 그녀는 매우 상냥한 소녀이다. (sweet)

→ She is ________ ________ ________ girl.

4 우리는 해변에서 매우 즐거운 시간을 보냈다. (good)

→ We had ________ ________ ________ time at the beach.

Hint

· so + 형용사 / 부사
· such + a(n) + 형용사 + 명사

Eng-Eng VOCA

grade	a mark that a student is given for their work or an examination
polite	showing good manners and respect for others
office	a building or room in which people work at desks
speeding ticket	a ticket that is given for driving too fast
glad	pleased and happy about something

Grammar
Lesson 3

★ 원급 비교 비교하는 대상의 정도나 성질이 같음을 나타냄

❶ 형태와 의미

「A as + 형용사/부사의 원급 + as B」 A는 B만큼 ~한/하게

Bungee jumping is **as** exciting **as** skydiving (is). 번지 점프는 스카이 다이빙만큼 재미있어.

Does Susie play the cello **as** well **as** Hannah (does)? Susie는 Hannah만큼 첼로 연주를 잘하니?

❷ 원급 비교의 부정형

「A not + as[so] + 형용사/부사의 원급 + as B」 A는 B만큼 …하지 않은/않게

The moon is **not as[so]** big **as** the Earth (is). 달은 지구만큼 크지 않다.

My new bed is **not as[so]** comfortable **as** the old one. 내 새 침대는 예전 것만큼 편하지 않다.

★ 비교급 두 개의 대상을 비교하여 하나가 다른 하나보다 우등하거나 열등함을 나타냄

❶ 형태와 의미

▷ 「A 비교급 + than B」 A가 B보다 더 ~한/하게

Gold is **more** expensive **than** silver. 금은 은보다 더 비싸다.

A bamboo tree grows faster **than** a maple tree. 대나무는 단풍나무보다 더 빨리 자란다.

▷ 「A less + 원급 + than B」 A가 B보다 덜 ~한/하게

I think English is **less** difficult **than** Spanish. 난 영어가 스페인어보다 덜 어렵다고 생각한다.

Steve is always **less** busy **than** his co-worker, Jonathan. Steve는 항상 그의 동료 Jonathan보다 덜 바쁘다.

❷ 비급 강조 표현

Flying is **much** more expensive than taking a train. 비행기를 타는 것은 기차를 타는 것보다 훨씬 더 비싸다.

She looks **a lot** younger than her age. 그녀는 자신의 나이보다 훨씬 더 어려 보인다.

* much, far, still, even, a lot 등은 비교급 앞에서 '훨씬 더'라는 뜻으로 비교급을 강조한다. very는 비교급을 강조할 수 없다.

❸ 원급 표현으로의 전환

「A 비교급 + than B」 = 「B not as[so] + 형용사/부사의 원급 + as A」

The Eiffel Tower is taller **than** the Statue of Liberty. 에펠 탑은 자유의 여신상보다 더 높다.

→ The Statue of Liberty is **not as** tall **as** the Eiffel Tower (is). 자유의 여신상은 에펠 탑만큼 높지 않다.

Sam works harder **than** John. Sam은 John보다 열심히 일한다.

→ John **doesn't** work **as** hard **as** Sam does. John은 Sam만큼 열심히 일하지 않는다.

Practice

Answers p.11

A 다음 밑줄 친 부분을 어법에 맞게 고쳐 쓰시오.

1 His room is even wider than my.

2 My sister reads as more books as I do.

3 David is not as handsome than Charles.

4 This project is less more difficult than the last one.

5 The game was finished early than I expected.

6 This year, we have very more snow than last year.

Hint

원급 비교에서 비교 대상은 동등한 형태가 와야 한다.

Studying is as exciting as playing. ← 동명사

공부하는 것은 노는 것만큼 재미있다.

B 다음 두 문장을 한 문장으로 만들 때, 빈칸에 알맞은 말을 쓰시오.

1 I run 100 meters in 12 seconds. Dean runs it in 14 seconds. (fast)

→ I run ________ than Dean does.

→ Dean doesn't run ________ ________ ________ I do.

2 Lucy scored 100 on the test. Jenny scored 90 on it. (well)

→ Lucy scored ________ than Jenny did.

→ Jenny didn't score ________ ________ ________ Lucy did.

3 The church is twenty meters tall. The bank is thirty meters tall. (tall)

→ The bank is ________ than the church.

→ The church isn't ________ ________ ________ the bank.

Plus

「less+형용사/부사+than」은 「not+as[so]+형용사/부사+as」 구문으로 바꾸어 쓸 수 있다.

Jacob is less wealthy than Seth.

= Jacob is not as[so] wealthy as Seth.

Jacob은 Seth만큼 풍족하지 않다.

C 다음 우리말과 같은 뜻이 되도록 주어진 단어를 이용하여 문장을 완성하시오.

1 그는 나보다 훨씬 힘이 세다. (strong, 비교급)

→ He is ________________.

2 멜버른은 시드니보다 덜 혼잡하다. (crowded, less 비교급)

→ Melbourne is ________________ Sydney.

3 우유가 콜라보다 너의 건강에 훨씬 좋다. (good, 비교급)

→ Milk is ________________ for your health than Coke.

4 우리 아버지는 어머니만큼 관대하시다. (generous, 원급)

→ My father is ________________ my mother.

Eng-Eng VOCA

expect	to think that something will probably or certainly happen
second	a unit of time that is equal to 1/60 of a minute
score	to win a point in a sport, game, or test
crowded	filled with too many people or things
generous	showing kindness and concern for others

Grammar
Lesson 4

★ 최상급 세 개 이상을 비교하여 '가장 ~한'이라는 의미를 나타냄

❶ 형태와 의미

▷ 「the + 최상급(+ 명사) + in + 장소/범위를 나타내는 단수명사」: ~에서 가장 …한

What is **the** biggest **country in the world?** 세계에서 가장 큰 나라는 어디니?

We stayed at **the** cheapest **hotel in the city.** 우리는 도시에서 가장 저렴한 호텔에 묵었다.

John's Bakery sells **the** most delicious **donuts in town.** John 씨의 빵집은 마을에서 가장 맛있는 도넛을 판다.

▷ 「the + 최상급(+ 명사) + of + 비교의 대상이 되는 명사」: ~중에 가장 …한

Yesterday was **the** happiest **day of my life.** 어제는 내 생애 가장 행복한 날이었다.

Which is **the** brightest **star of all?** 모든 별 중에 가장 빛나는 별은 무엇이니?

I think family is **the** most important **thing of all.** 나는 가족이 모든 것 중 가장 중요하다고 생각한다.

❷ 비교급 표현으로의 전환: 「the+최상급+명사」 = 「비교급+than any other+단수명사」

The Nile is **the** longest **river** in Africa. 나일 강은 아프리카에서 가장 긴 강이다.

→ The Nile is longer **than any other river** in Africa. 나일 강은 아프리카의 다른 어떤 강보다 길다.

Josh is **the** most popular **singer** in his country. Josh는 자신의 나라에서 가장 인기 있는 가수이다.

→ Josh is more popular **than any other singer** in his country.
Josh는 자신의 나라에서 다른 어떤 가수보다 더 인기 있다.

★ 관용 표현

원급	as 형용사/부사의 원급 as possible (= as 형용사/부사의 원급 as one can)	가능한 한 ~한(하게)
비교급	more and more	점점 더 많은(많이)
	be/become/get + 비교급 and 비교급	점점 더 ~ 해지다
	Who[Which] ~ 비교급, A or B?	A와 B 중 누가[어느 것] 더 ~하니?
최상급	one of the 최상급 + 복수 명사	가장 ~한 것 중 하나

Please send me the file as soon as possible. 그 파일을 가능한 한 빨리 저에게 보내주세요.
= Please send me the file as soon as you can.

More and more people become interested in their health. 점점 더 많은 사람이 자신들의 건강에 관심을 가진다.
The weather is getting hotter and hotter. 날씨가 점점 더 더워지고 있다.

Who has longer hair, Mary or Bennet? Mary와 Bennet 중 누가 더 머리가 기니?
She is one of the nicest students in my class. 그녀는 우리 반에서 가장 착한 학생 중 한 명이다.

Practice

A 다음 주어진 단어를 알맞은 형태로 바꾸어 문장을 완성하시오.

1 Mark is ________________ person of all my friends. (kind)

2 Mom makes ________________ brownies in town. (delicious)

3 Which is ________________, this one or that one? (expensive)

4 The Pacific Ocean is ________________ ocean in the world. (large)

5 I think Einstein is one of ________________ scientists of all time. (great)

B 다음 〈보기〉에서 알맞은 것을 골라 대화를 완성하시오. (필요 시, 형태를 바꿀 것)

보기 young small early

1 A: Is Dave your older brother?
B: No, he is the ____________ in my family.

2 A: The world is getting ____________ and ____________.
B: Yes. You can get in touch with friends all over the world.

3 A: Who crossed the finish line ____________, Nancy or Emily?
B: I am not sure. They were neck and neck.

C 다음 〈보기〉와 같이 문장을 바꿔 쓰시오.

보기 Dylan is the tallest boy in school.
→ Dylan is taller than any other boy in school.

1 I think a snake is the scariest animal.
→ I think a snake is ________________________________.

2 Joshua is the strongest boy in my neighborhood.
→ Joshua is ________________________________.

3 My father's study is the biggest room in the house.
→ My father's study is ________________________________.

Eng-Eng VOCA

get in touch with	to communicate by calling or writing each other
neck and neck	very close together in a race or contest
scary	frightening
neighborhood	the area in which people live near each other
study	a quiet room in someone's home for reading or writing

A 다음 주어진 단어에 맞도록 의미를 바르게 연결하시오.

1 awake • a. not sleeping

2 chilly • b. making you feel physically relaxed

3 comfortable • c. liked by a lot of people

4 popular • d. someone who cannot be trusted to keep things secret

5 big mouth • e. cold enough to make you feel uncomfortable

B 다음 괄호 안에서 알맞은 것을 고르시오.

1 It is (so / such) a beautiful day.

2 William always speaks (so / such) fast.

3 Have you seen Mr. Phillip (late / lately)?

4 She (hard / hardly) gets angry with anyone.

5 Sam's house is very (near / nearly) to the beach.

C 다음 <보기>에서 알맞은 단어를 골라 문장을 완성하시오.

보기	comfortable	faster	brightest	a lot	one

1 Which is the ________________ star in the sky?

2 He looks ________________ younger than his age.

3 My new bed is not as ________________ as the old one.

4 A bamboo tree grows ________________ than a maple tree.

5 She is ________________ of the nicest students in my class.

Chapter 08

가정법

Grammar Lesson 1

★ 가정법 과거

❶ 형태와 의미

「If + 주어 + 동사의 과거형 ~, 주어 +조동사의 과거형+ 동사원형」

If I were you, I would forgive him. 내가 너라면 그를 용서할 텐데.

If I didn't have friends, I would be very lonely. 나에게 친구가 없다면 정말 외로울 텐데.

If you were honest with her, she would treat you well. 네가 그녀에게 솔직하면 그녀가 너에게 잘 대해줄 텐데.

What would you do, if you won the lottery? 복권에 당첨되면 무엇을 할 거니?

* '만일 ~한다면[라면] …텐데'라는 의미로, 현재 사실과 반대되는 상황을 가정하거나 상상할 때 쓰인다.
* 가정법 과거에서 if절의 be동사는 인칭이나 수에 관계없이 were를 쓴다.

❷ 가정법 과거 vs. 직설법

가정법 과거 If I had enough money, I could buy the book. 나에게 돈이 충분히 있다면 그 책을 살 텐데.

직설법 As[Because] I don't have enough money, I can't buy the book.

I don't have enough money, so I can't buy the book. 나는 돈이 충분히 없어서 그 책을 살 수 없다.

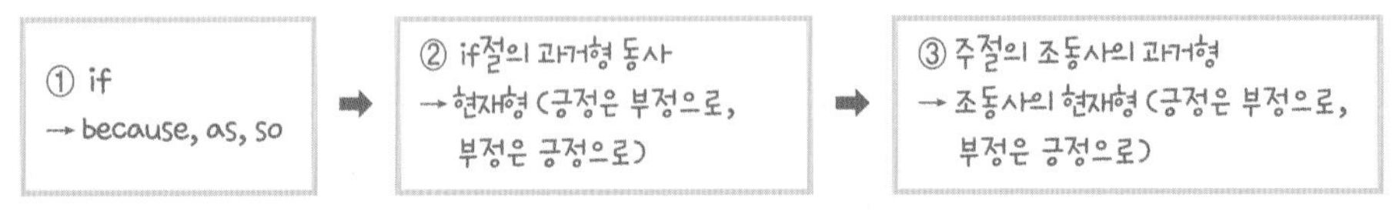

① if
→ because, as, so
② if절의 과거형 동사
→ 현재형 (긍정은 부정으로, 부정은 긍정으로)
③ 주절의 조동사의 과거형
→ 조동사의 현재형 (긍정은 부정으로, 부정은 긍정으로)

* 가정법 과거는 현재 사실을 나타내는 직설법 문장으로 바꿔 쓸 수 있다.

If he didn't break his promises, I would trust him. 그가 약속을 어기지 않으면 나는 그를 믿을 텐데.

→ As [Because] he breaks his promises, I don't trust him.

→ He breaks his promises, so I don't trust him. 그가 약속을 어겨서 나는 그를 믿지 않는다.

If it were sunny, I could go swimming. 날씨가 화창하면 나는 수영을 하러 갈 텐데.

→ As [Because] it is not sunny, I can't go swimming.

→ It is not sunny, so I can't go swimming. 날씨가 화창하지 않기 때문에 수영을 하러 갈 수 없다.

Practice

A 다음 주어진 단어를 이용하여 문장을 완성하시오.

Hint
If it were not for~
=But for~
=Without~
만일~가 없다면

1 I would be rich if I __________ the lottery. (win)

2 If my friends __________, I would be very happy. (come)

3 If I had a lot of money, I __________ buy a big house. (will)

4 What would you do if you __________ one million dollars? (have)

5 If it __________ not for water, there would be no living thing on earth. (be)

B 다음 우리말과 같은 뜻이 되도록 주어진 단어를 이용하여 문장을 완성하시오.

1 그녀에게 남자친구가 없으면 내가 그녀에게 데이트 신청할 텐데. (have)
→ If she __________ __________ a boyfriend, I __________ ask her out.

2 그가 차가 있다면 지하철을 안 탈 텐데. (take, not, have)
→ He __________ __________ __________ the subway if he __________ a car.

3 Ryan이 돈이 많다면 파리에 갈 수 있을 텐데. (have, go)
→ If Ryan __________ a lot of money, he __________ __________ to Paris.

4 내가 그녀의 전화번호를 안다면 그녀에게 전화를 할 수 있을 텐데. (call, know)
→ I __________ __________ her if I __________ her phone number.

C 다음 문장의 의미가 통하도록 빈칸에 알맞은 말을 쓰시오.

1 If I were an adult, I could see the movie.
→ As I __________ an adult, I cannot see the movie.
→ I __________ an adult, so I cannot see the movie.

2 I could buy the mansion if I had a lot of money.
→ As I __________ a lot of money, __________.
→ I __________ a lot of money, so __________.

3 She could stay longer if she had more time.
→ As she __________ more time, __________.
→ She __________ more time, so __________.

Eng-Eng VOCA

lottery	a way of raising money for a government, or charity in which many tickets are sold, and a few of the tickets are chosen to win prizes
million	the number 1,000,000
dollar	a unit of money in the U.S., Canada, Australia, and other countries
adult	a fully grown person
mansion	a large and impressive house

★ 가정법 if vs. 조건의 if

	가정법 if	조건의 if
의미	'만일 ~한다면[라면] …텐데'	'만일 ~하면[라면] …할 것이다'
형태	「if+주어+동사의 과거형 ~, 주어+조동사의 과거형(would/could/might/should)+동사원형」	「if+주어+동사(현재형) ~, 주어+현재형 또는 미래형 동사」
쓰임	현재 사실과 반대되는 상황 또는 실현 불가능한 내용	현재나 미래에 실현 가능성이 있는 내용

If it stopped raining, we could go hiking. (가정법 if: 비가 멈추지 않는다.) 비가 멈춘다면 우리는 하이킹을 갈 수 있을 텐데.
If it stops raining, we can go hiking. (조건의 if: 비가 멈출 가능성이 있다.) 비가 멈추면 우리는 하이킹을 할 수 있다.

If you knew her, you would go and talk to her. (가정법 if: 그녀를 알지 못한다.) 네가 그녀를 안다면 너는 가서 그녀와 얘기를 나눌 텐데.
If you know her, please go and talk to her. (조건의 if: 그녀를 알 가능성이 있다.) 네가 그녀를 알면 가서 그녀와 얘기를 나눠라.

★ I wish 가정법 과거

❶ 형태와 의미

「I wish (that) 주어+동사의 과거형/조동사의 과거형+동사원형」

* '~하면[라면] 좋을 텐데'라는 의미로, 현재의 이룰 수 없는 소망이나 현재 사실에 대한 유감을 나타낸다.

I wish I had an elder brother. 나에게 오빠가 있으면 좋을 텐데.
I wish I were younger again. 내가 다시 어려지면 좋을 텐데.
I wish I could do something for her. 내가 그녀를 위해 무언가를 해 줄 수 있으면 좋을 텐데.

❷ I wish 가정법 vs. 직설법 '~라서 유감이다'

I wish 가정법 I wish I had more time. 나에게 시간이 좀 더 있으면 좋을 텐데.

직설법 → I am sorry that I don't have more time. 나에게 시간이 좀 더 없어서 유감이다.

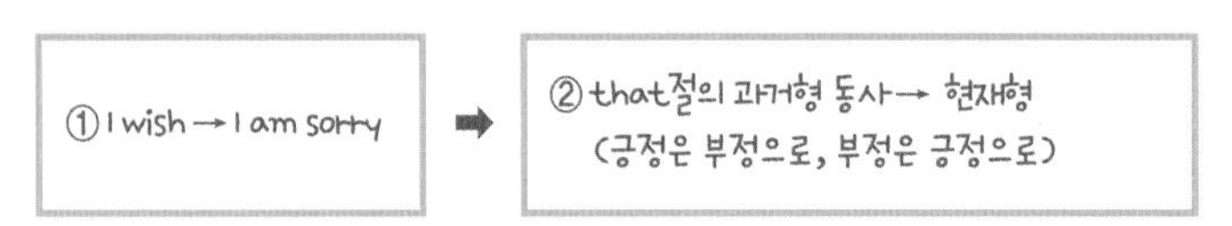

① I wish → I am sorry
② that절의 과거형 동사 → 현재형
(긍정은 부정으로, 부정은 긍정으로)

I wish I could see her now. 지금 그녀를 볼 수 있다면 좋을 텐데.
→ I am sorry that I cannot see her now. 지금 그녀를 볼 수 없어서 유감이다.

Practice

Answers p.13

A 다음 밑줄 친 부분에 유의하여 문장을 우리말로 옮기시오.

1 If the weather were nice, we could go for a walk.

If the weather is nice, we will go for a walk.

2 If Jack forgets her birthday, she will be angry.

If Jack forgot her birthday, she would be angry.

3 If you drive from New York to Cleveland, you will be very tired.

If you drove from New York to Cleveland, you would be very tired.

Plus

조건의 if절에서 미래의 일을 나타낸다고 하더라도 if절의 동사는 현재시제로 쓴다.

If I pass the test, I will be very happy. (o)

If I ~~will pass~~ the test, I will be very happy. (x)

내가 시험에 통과하면 정말 기쁠 거야.

B 다음 대화를 읽고, 괄호 안에 주어진 단어를 이용하여 빈칸에 알맞은 말을 쓰시오.

1 A: You argued with Susan, didn't you?

B: Yes. I wish I __________ the courage to apologize to her. (have)

2 A: What would you do if there were a time machine?

B: I __________ __________ back in time. (travel)

3 A: If you finish early, what __________ you __________? (do)

B: I will go shopping.

4 A: If you found a wallet on the street, __________ you __________ it? (keep)

B: No. I __________ __________ it to the police. (give)

D 다음 두 문장이 같은 뜻이 되도록 문장을 완성하시오.

1 I wish she were my wife.

→ I am sorry that ____.

2 I wish I could play the flute well.

→ I am sorry that ____.

3 I wish that he didn't know my secret.

→ I am sorry that ____.

Eng-Eng VOCA

argue	to speak angrily to someone because you disagree with him/her
courage	the ability to do something dangerous
apologize	to express regret for doing something wrong
police	an official organization that makes people obey the law and solve crimes
secret	a fact that is kept hidden from other people

A 다음 주어진 단어에 맞도록 의미를 바르게 연결하시오.

1 forgive • a. unhappy because you are alone

2 lonely • b. to stop being angry with someone

3 treat • c. to behave towards someone or something in a particular way

4 honest • d. not hiding the truth

5 dessert • e. sweet food served after the main part of a meal

B 다음 괄호 안에서 알맞은 것을 고르시오.

1 If I (was / were) you, I would forgive him.

2 If I didn't have friends, I (were / would be) very lonely.

3 If you were honest with her, she (treats / would treat) you well.

4 What would you do, if you (win / won) the lottery?

5 If you (know / knew) her, please go and talk to her.

C 다음 〈보기〉에서 알맞은 단어를 골라 문장을 완성하시오.

보기 wish if were stopped would

1 I ________________ I had an elder brother.

2 I wish I ________________ younger again.

3 If it ________________ raining, we could go hiking.

4 If you knew him, you ________________ go and talk to him.

5 ________________ I pass the test, I will be very happy.

Chapter

09

관계사

Grammar
Lesson 1

★ 관계대명사

선행사	주격	목적격	소유격
사람	who	who(m)	whose
사물이나 동물	which	which	whose
사람, 사물, 동물	that	that	—

* 관계대명사는 「접속사+대명사」의 역할을 하며, 관계대명사가 이끄는 절 앞에 오는 선행사를 수식한다.

I know the woman. + She is from Ireland. (주격) 나는 그 여인을 안다. + 그녀는 아일랜드 출신이다.
접속사 + 대명사

→ I know the woman who is from Ireland. 나는 아일랜드 출신의 그 여인을 안다.
선행사

I like the girl. + I met her on the bus. (목적격) 나는 그 소녀를 좋아한다. + 나는 그녀를 버스에서 만났다.
접속사 + 대명사

→ I like the girl who(m) I met on the bus. 나는 버스에서 만난 소녀를 좋아한다.
선행사

He met a woman. + Her hair is very long. (소유격) 그는 한 여자를 만났다. + 그녀의 머리는 매우 길다.
접속사 + 대명사

→ He met a woman whose hair is very long. 그는 머리가 매우 긴 한 여자를 만났다.
선행사

★ 주격 관계대명사

❶ who, that: 선행사가 사람일 때

The girl is my sister. + **She** is sitting on the bench.
→ The girl **who[that]** is sitting on the bench is my sister. 벤치에 앉아 있는 그 소녀는 내 여동생이다.

Do you remember **the classmate**? + **He** was always quiet.
→ Do you remember the classmate **who[that]** was always quiet? 항상 조용했던 같은 반 친구 기억하니?

❷ which, that: 선행사가 사물이나 동물일 때

I have **a cat**. + **It** is very old.
→ I have a cat **which[that]** is very old. 나에게는 매우 나이가 많은 고양이가 있다.

The robots are my brother's. + **They** are on the sofa.
→ The robots **which[that]** are on the sofa are my brother's. 소파 위에 있는 로봇들은 내 남동생의 것이다.

Practice

Answers p.14

A 다음 밑줄 친 부분을 어법에 맞게 고쳐 쓰시오.

Hint
주격 관계대명사 절의 동사는 선행사의 수에 일치시킨다.
The boy who lives next door is a middle school student.
옆집에 사는 소년은 중학생이다.

1 I don't like a student who are late for class.

2 The boy whose is sleeping on the sofa is my cousin.

3 Mike can't find the ring whom was on the table.

4 Bill went to the mountain whose was covered with snow.

5 Mr. Thompson has a daughter which is an excellent violinist.

6 My teacher always gives us homework which take a long time to finish.

B 다음 두 문장을 관계대명사를 이용하여 한 문장으로 만들 때 빈칸에 알맞은 말을 쓰시오.

Plus
주격 관계대명사 that은 선행사가 사람, 사물, 동물일 때 모두 사용할 수 있다.

1 Look at the squirrel. + It is running over there.

→ Look at ______________ is running over there.

2 David is wearing a blue sweater. + It is too small for him.

→ David is wearing ______________ is too small for him.

3 I often meet the man. + He goes jogging in the park.

→ I often meet ______________ goes jogging in the park.

C 다음 우리말과 같은 뜻이 되도록 주어진 단어를 배열하여 문장을 완성하시오.

1 책상 위에 있는 컵은 우리 오빠의 것이다.
(the cup, is, my brother's, on the desk, which, is)

→ ______________

2 의사는 아픈 사람을 돌보는 사람이다.
(is, a doctor, sick, a person, takes care of, who, people)

→ ______________

3 그에게는 시금치를 먹는 개가 있다. (has, that, spinach, eats, a dog, he)

→ ______________

be late for	to arrive after the expected or arranged time
cousin	a child of your aunt or uncle
finish	to complete something that you are doing
squirrel	a small animal with a long thick tail that eats nuts and lives in trees
spinach	a plant with dark green leaves that are eaten as a vegetable

Grammar
Lesson 2

★ 목적격 관계대명사

❶ who(m), that: 선행사가 사람일 때

The man is very gentle. + Sue likes him.

→ The man who[whom / that] Sue likes is very gentle. Sue가 좋아하는 남자는 정말 점잖다.

He is the teacher. + All the students respect him.

→ He is the teacher who[whom / that] all the students respect. 그는 모든 학생들이 존경하는 선생님이다.

❷ which, that: 선행사가 사물이나 동물일 때

I have a pet snake. + I have kept it since 2016.

→ I have a pet snake which[that] I have kept since 2016. 나에게는 2016년부터 기른 애완용 뱀 한 마리가 있다.

The black dress looks good. + Jane is wearing the dress.

→ The black dress which[that] Jane is wearing looks good. Jane이 입고 있는 검은색 드레스는 좋아 보인다.

★ 소유격 관계대명사 소유격 관계대명사 뒤에는 명사가 와야 한다.

❶ whose: 선행사가 사람일 때

I know a boy. + His father works at a hospital.

→ I know a boy whose father works at a hospital. 나는 아빠가 병원에서 일하는 한 소년을 안다.

A girl is standing there. + Her name is Christine.

→ A girl whose name is Christine is standing there. 이름이 Christine이라는 한 소녀가 저기 서 있다.

❷ whose: 선행사가 사물일 때

I bought a nice car. + Its price was very low.

→ I bought a nice car whose price was very low. 나는 가격이 아주 싼 멋진 자동차를 샀다.

We saw a house. + Its roof was painted red.

→ We saw a house whose roof was painted red. 나는 지붕이 빨간색으로 칠해진 집을 보았다.

★ 관계대명사의 생략 목적격 관계대명사(who(m), which, that)는 생략할 수 있다.

The man (whom) she loved very much left for America last week. 그녀가 매우 사랑했던 그 남자는 지난주에 미국으로 떠났다.

The temple (which) we visited yesterday was really fantastic. 우리가 어제 방문했던 사원은 정말 멋있었다.

This is the first science fiction novel (that) Mr. Brown wrote. 이것은 Brown 씨가 쓴 첫 공상과학 소설이다.

Practice

Answers p.14

A 다음 밑줄 친 부분을 어법에 맞게 고쳐 쓰시오.

1 Matt is a famous actor which I like a lot.

2 The sneakers that I'm wearing is very comfortable.

3 I read the Christmas card who my father sent to me.

4 The man whose I loved was very gentle and humorous.

5 Ann is my friend whom birthday is Christmas Day.

6 Do you know the boy which you saw at the library?

B 다음 중 밑줄 친 관계대명사를 생략할 수 있으면 ○, 생략할 수 없으면 ×표 하시오.

1 Jason looked at the lady whom Eric was talking to.

2 Robert is the smartest man that I've ever known.

3 I have a friend who is very good at repairing cars.

4 The spaghetti that we ate for lunch was a little spicy.

5 Catherine was wearing a jacket that was too big for her.

C 다음 우리말과 같은 뜻이 되도록 주어진 단어를 알맞게 배열하여 문장을 완성하시오.

1 나는 교실에서 잃어버린 교과서를 찾았다. (in the classroom, which, my textbook, I, lost)

→ I found ____________________________________.

2 과학은 Kelly가 가장 좋아하는 과목이다. (which, Kelly, most, likes, the subject)

→ Science is ____________________________________.

3 나에게는 5년 동안 알고 지낸 친구가 세 명 있다. (whom, I, three friends, have, known)

→ I have ______________________________ for five years.

4 너에게 소개해 준 그 소녀를 기억하니? (to, whom, introduced, I, you, the girl)

→ Do you remember ______________________________?

Eng-Eng VOCA

sneaker	a shoe that you wear for sports or with informal clothing
gentle	calm and kind
humorous	funny and entertaining
spicy	having a strong taste and causing a burning feeling in your mouth
textbook	a book about a particular subject that is used in schools

Grammar
Lesson 3

★ 관계부사

	선행사	관계부사
시간	the time, the day, the year …	when
장소	the place, the house, the city …	where
이유	the reason	why
방법	(the way)	how

* 관계부사는 「접속사+부사」의 역할을 하며, 관계부사가 이끄는 절 앞에 오는 선행사를 수식한다.

❶ when: 선행사가 시간을 나타낼 때

My grandparents remember **the day.** + The war broke out **on that day.**

→ My grandparents remember the day **when** the war broke out.
내 조부모님은 전쟁이 일어난 그 날을 기억하신다.

Sunday is the only day **when** my father doesn't work. 일요일은 아버지가 일을 하지 않는 유일한 날이다.

❷ where: 선행사가 장소를 나타낼 때

Kathy missed **the town.** + She used to live **in that town.**

→ Kathy missed the town **where** she used to live. Kathy는 그녀가 살았던 그 도시를 그리워했다.

This is the place **where** I hid Jim's toys. 이곳이 내가 Jim의 장난감을 숨겼던 장소이다.

❸ why: 선행사가 이유를 나타낼 때

I don't know **the reason.** + She didn't come here **for that reason.**

→ I don't know the reason **why** she didn't come here. 나는 그녀가 이곳에 오지 않은 이유를 모른다.

That's the reason **why** I left David. 그것이 내가 David를 떠났던 이유이다.

❹ how: 선행사가 방법을 나타낼 때

This is **the way.** + I passed the exam easily **in that way.**

→ This is **how** I passed the exam easily.

→ This is **the way** I pass the exam easily. 이것이 내가 쉽게 그 시험을 통과한 방법이다.

She told me **how[= the way]** she finished her report in time.
그녀는 어떻게 자신이 제시간에 보고서를 끝냈는지 나에게 얘기했다.

※ 주의: 선행사 the way와 관계부사 how는 함께 쓸 수 없기 때문에 둘 중 하나만 써야 한다.

This is **the way** ~~how~~ I passed the exam.

Practice

Answers p.14

A 다음 〈보기〉에서 알맞은 것을 골라 문장을 완성하시오.

보기 when why how where

1 Edward remembers the day ________ Mary arrived here.

2 Can you tell me ________ you solved the crossword puzzle?

3 Let's look around the office ________ we're going to work.

4 I still don't know the reason ________ my mother got so angry.

Plus

관계부사의 생략

선행사가 the time, the reason, the place 등 일반적인 경우에 관계부사를 생략하기도 한다.

I can't forget the day (when) I passed the driving test.
나는 운전면허 시험에 합격한 그 날을 잊을 수가 없다.

B 다음 밑줄 친 부분을 어법에 맞게 고쳐 쓰시오.

1 This is the theater how they used to watch the movies.

2 Miranda told me the way how she learned Chinese.

3 I don't know the reason when the meeting was canceled.

4 I can't forget the day who my son entered middle school.

5 Can you tell me the reason how she left so early?

6 The city why I was born has a lot of mountains.

C 다음 우리말과 같은 뜻이 되도록 주어진 단어를 알맞게 배열하여 문장을 완성하시오.

1 토요일은 우리가 야구 경기를 하는 날이다.
(Saturday, play, baseball, we, is, when, the day)
→ ________________________________

2 우리가 묵었던 호텔은 해변과 가까웠다.
(the hotel, stayed, where, was, the beach, we, near)
→ ________________________________

3 너는 오늘 아침에 Jane이 운 이유를 알고 있니?
(know, cried, do, the reason, Jane, you, this morning, why)
→ ________________________________

Eng-Eng VOCA

solve	to find the correct answer to a problem or the explanation for something that is difficult to understand
reason	a cause or an explanation for what has happened
angry	having strong feelings about someone/something that you dislike
theater	a building in which movies are shown or plays are performed
cry	to produce tears from your eyes while making loud sounds; emotional expression

VOCA in Grammar

A 다음 주어진 단어에 맞도록 의미를 바르게 연결하시오.

1 roof •
2 fiction •
3 pet •
4 classmate •
5 temple •

• a. an animal such as a cat or a dog which you keep at home
• b. a structure that covers or forms the top of a building
• c. books and stories about imaginary people and events
• d. a member of the same class in a school
• e. a building where people go to worship

B 다음 괄호 안에서 알맞은 것을 고르시오.

1 I know a woman (who / which) is from Ireland.

2 The robots (who / which) are on the sofa are my brother's.

3 He met a woman (who / whose) hair is very long.

4 The man (whose / whom) she loved very much left for America last week.

5 We saw a house (which / whose) roof was painted red.

C 다음 〈보기〉에서 알맞은 단어를 골라 문장을 완성하시오.

보기 when where why how the way

1 This is ______________ I passed the exam easily.

2 Kathy missed the town ______________ she used to live.

3 I don't know the reason ______________ she didn't come here.

4 She told me ______________ she finished her report in time.

5 My grandparents remember the day ______________ the war broke out.

Chapter 10

접속사

Grammar
Lesson 1

★ 시간을 나타내는 접속사 부사절이 주절보다 앞에 올 때는 부사절 뒤에 콤마(,)를 붙인다.

❶ 시간을 나타내는 접속사

when	~할 때, ~하면	until	~할 때까지
before	~하기 전에	while	~하는 동안
after	~한 후에	as	~할 때, ~하는 동안
since	~이래로		

I was walking down the street **when** I saw her. 그녀를 보았을 때 나는 거리를 걷고 있었다.(= 나는 거리를 걷다가 그녀를 보았다.)
Make sure you turn off the lights **before** you go out. 밖에 나가기 전에 불을 껐는지 확인해라.
Where did you go **after** you left the office? 사무실에서 나와서 어딜 갔었니?
I have lived in Osaka, Japan **since** I was ten years old. 나는 열 살 때부터 일본 오사카에서 살았다.
We played computer games **until** the sun came up. 우리는 해가 뜰 때까지 컴퓨터 게임을 했다.
Eva arrived **while** we were having coffee. 우리가 커피를 마시는 도중에 Eva가 도착했다.
As I opened the door, there was another door. 내가 문을 열었을 때 또 다른 문이 있었다.

❷ 시간을 나타내는 부사절의 시제

Amy will work at a bank after she **graduates** from university. (○)
Amy는 대학을 졸업하고 나서 은행에서 일할 것이다.
Amy will work at a bank after she ~~will graduate~~ from university. (×)

* 시간을 나타내는 부사절에서는 현재시제가 미래시제를 대신한다.

★ 이유를 나타내는 접속사

because	~ 때문에, ~여서, ~이니까
since	
as	

I stayed at home all day **because** I had a terrible headache. 나는 심한 두통 때문에 온종일 집에 있었다.
As you arrive at the office first, open the window. 네가 사무실에 제일 먼저 도착하니까 창문을 열어라.
Since you have the key, you should come home earlier than me.
네가 열쇠를 가지고 있으니까 나보다 더 일찍 집에 와야 한다.

Practice

Answers p.15

A 다음 〈보기〉에서 알맞은 접속사를 골라 문장을 완성하시오. (중복 불가)

보기 since before after because until

1 I couldn't see anything ______________ it was too dark.

2 I had an ice cream for dessert ______________ I had dinner.

3 You should keep exercising ______________ you lose weight.

4 Chandler has learned Judo ______________ he came to Japan.

5 ______________ you go to bed, brush your teeth and wash your face.

Hint

접속사 since

현재완료 문장에서 사용될 때 since가 이끄는 접속사절의 시제는 주로 과거시제이다.

I haven't talked to him since he left this town.
나는 그가 이 마을을 떠난 이후로 그와 이야기를 하지 못했다.

B 다음 문장에서 잘못된 부분을 찾아 바르게 고치시오.

1 I will call you when I will get to the airport.

2 Let's wait for him until he will come back!

3 I'm wearing a thick coat because of it's terribly cold.

4 James has lived in Korea because he was 10 years old.

Hint

because vs. because of

「because+주어+동사」

I stayed at home because it rained.
비가 왔기 때문에 나는 집에 있었다.

「because of+(대)명사」

I stayed at home because of rain.
비 때문에 나는 집에 있었다.

C 다음 우리말과 같은 뜻이 되도록 빈칸에 알맞은 접속사를 쓰시오.

1 그들은 어렸을 때부터 서로 알고 지냈다.
→ They have known each other ______________ they were kids.

2 나는 David가 파티에 올 때까지 그를 기다렸다.
→ I waited for David ______________ he came to the party.

3 내가 잠이 든 동안 도둑이 내 옷을 전부 가져갔다.
→ A thief took all my clothes ______________ I was asleep.

4 나는 네가 이탈리아에서 왔으니까 이탈리아어를 할 수 있을 거라고 생각한다.
→ I think you can speak Italian ______________ you are from Italy.

Plus

종속접속사 when (~할 때)
「when+주어+동사」

When I am at home, I usually read a book.
나는 집에 있을 때 주로 책을 읽는다.

의문사 when (언제)
「when+동사+주어~?」

When did you arrive at home?
너는 집에 언제 도착했니?

Eng-Eng VOCA

exercise	to do physical activities in order to make yourself stronger and healthier
lose weight	to become less heavy or fat
brush	to clean or smooth something with a brush
thick	having a larger distance between opposite sides
thief	someone who steals from another person

Grammar

Lesson 2

★ 조건을 나타내는 접속사

❶ 조건을 나타내는 접속사의 종류

if	만약 ~한다면
unless (= if ~ not)	만약 ~하지 않는다면

If I go abroad again, I'll take a lot of pictures. 만약 내가 다시 외국에 간다면 사진을 많이 찍을 것이다.

I'll go there by bus unless it snows a lot. 만약 눈이 많이 내리지 않는다면 나는 그곳에 버스를 타고 갈게.
= I'll go there by bus if it doesn't snow a lot.

❷ 명령문, and ~ / 명령문, or ~

▷ if 조건문: 「명령문, and 주어+동사」로 바꿔 쓸 수 있고 '~해라, 그러면 …'으로 해석한다.

If you leave now, you will catch the last train. 지금 떠나면 막차를 탈 수 있을 것이다.
= Leave now, and you will catch the last train. 지금 떠나라. 그러면 막차를 탈 수 있을 것이다.

▷ unless (if ~ not) 조건문: 「명령문, or 주어+동사」로 바꿔 쓸 수 있고 '~해라, 그렇지 않으면 …'으로 해석한다.

Unless you leave now, you will miss the last train. 지금 떠나지 않으면 막차를 놓칠 것이다.
= If you don't leave now, you will miss the last train.
= Leave now, or you will miss the last train. 지금 떠나라. 그렇지 않으면 막차를 놓칠 것이다.

❸ 조건을 나타내는 부사절의 시제

If it snows a lot, I will take the subway. (○) 만약 눈이 많이 오면 나는 지하철을 탈 것이다.
If it ~~will snow~~ a lot, I will take the subway. (×)

* 조건을 나타내는 부사절에서는 현재시제가 미래시제를 대신한다.

★ 양보를 나타내는 접속사

although (even) though	~임에도 불구하고, 비록 ~일지라도

Although she eats a lot, she is skinny. 그녀는 많이 먹음에도 불구하고 말랐다.
I didn't eat pizza last night, (even) though I wanted to. 나는 비록 먹고 싶었지만, 어젯밤에 피자를 먹지 않았다.

Practice

Answers p.15

A 다음 밑줄 친 부분을 어법에 맞게 고쳐 쓰시오.

1 If it will be sunny, I'll go swimming.

2 I can buy it unless you lend me some money.

3 Be polite, or your friends will like you again.

4 Can I wear your coat unless you don't wear it?

5 Even though I turned on the heater, but it's still cold in here.

Hint

unless = if ~ not

unless는 이미 부정의 의미를 포함하고 있기 때문에 부정어와 함께 쓰지 않는다.

I'll go with you unless I have homework. (O)

만약 숙제가 없으면 너와 함께 갈게.

I'll go with you unless I don't have homework. (X)

B 다음 문장이 모두 같은 뜻이 되도록 빈칸을 채우시오.

1 You will pass the exam if you study hard.

= Study hard, ________ you will pass the exam.

2 Although the mall is near my house, I took a taxi.

= ________ ________ the mall is near my house, I took a taxi.

= The mall is near my house, ________ I took a taxi.

3 Unless you get up now, you will be late for school.

= ________ you ________ get up now, you will be late for school.

= Get up now, ________ you will be late for school.

Hint

양보를 나타내는 종속접속사가 있는 문장은 역접을 나타내는 등위접속사 but이 있는 문장으로 바꿀 수 있다.

Although she is only five years old, she can play the piano very well.

그녀는 겨우 다섯 살임에도 불구하고 피아노를 매우 잘 친다.

= She is only five years old, but she can play the piano very well.

그녀는 겨우 다섯 살이지만, 피아노를 매우 잘 친다.

C 다음 우리말과 같은 뜻이 되도록 주어진 단어를 배열하여 문장을 완성하시오.

1 Jenny는 말랐음에도 불구하고 살을 빼려고 한다. (she, skinny, even though, is)

→ Jenny is trying to lose weight, ________________.

2 비록 나는 해야 할 숙제가 있었지만, TV를 보았다. (I, although, homework, do, had, to)

→ I watched TV, ________________.

3 나는 John을 내 생일파티에 초대했지만, 그는 오지 않았다.

(I, John, my birthday party, to, although, invited)

→ ________________, he didn't come.

Eng-Eng VOCA

lend	to let someone borrow money or something that belongs to you for a short time
heater	a machine used for making air or water warmer
mall	a large building that has many stores and restaurants inside it
skinny	very thin or too thin
invite	to ask someone to come to a party, wedding, meal, etc.

Grammar
Lesson 3

★ 상관접속사 두 개의 어구가 짝을 이뤄 접속사 역할을 하며 상관접속사로 연결된 말은 병렬구조를 이룬다.

❶ 상관접속사의 종류와 의미

not A but B	A가 아니라 B	either A or B	A와 B 둘 중 하나
both A and B	A와 B 둘 다	neither A nor B	A와 B 둘 다 아닌
not only A but also B = B as well as A	A뿐만 아니라 B도		

Not Fred but I called you last night. Fred가 아니라 내가 어젯밤에 너에게 전화했다.
(Fred: 명사, I: (대)명사)

Maria can both speak and write Korean. Maria는 한국어를 말하고 쓸 수 있다.
(speak: 동사, write: 동사)

Jason is not only tall but (also) handsome. Jason은 키가 클 뿐만 아니라 잘생겼다.
(tall: 형용사, handsome: 형용사)

(= Jason is handsome as well as tall.)

You can have either ice cream or cake for dessert. 당신은 후식으로 아이스크림과 케이크 중 하나를 먹을 수 있습니다.

Neither my uncle nor my aunt lives in Seoul. 삼촌과 이모 둘 다 서울에 살지 않는다.

❷ 상관접속사가 쓰인 주어의 수의 일치

both A and B 항상 복수 취급 (+복수동사)
not A but B, either A or B, neither A nor B 동사와 가까이 있는 대상에 수 일치(주로 B)
not only A but also B (= B as well as A) 동사는 B에 수 일치

Both his sister and his brother are college students. 그의 누나와 형은 둘 다 대학생이다.

Not my sister but I am a student. 내 여동생이 아니라 내가 학생이다.

Not only Jessica but also I am studying in London. Jessica뿐만 아니라 나도 런던에서 공부하고 있다.
(= I as well as Jessica am studying in London.)

★ 명사절을 이끄는 접속사 that '~라는 것'

That Karen is married is a big surprise. Karen이 결혼했다는 것은 매우 놀랍다.
(주어 역할 - 단수 취급)

I think that Jack will come back. 나는 Jack이 돌아올 거라고 생각한다.
(동사 think의 목적어 역할)

The problem is that you don't do your best. 문제는 네가 최선을 다하지 않는다는 것이다.
(주어 the problem을 보충 설명하는 보어 역할)

* 접속사 that은 문장에서 주어, 목적어, 보어 역할을 하는 명사절을 이끈다.

Practice

Answers p.16

A 다음 괄호 안에서 알맞은 것을 고르시오.

1 Ben is (not / not only) fourteen but fifteen.

2 I like (either / neither) blue jeans nor black jeans.

3 Both I and my sister (practice / practices) taekwondo.

4 Van Gogh as well as Munch (was / were) a great painter.

5 He is good at both basketball and (baseball / playing baseball).

6 Paul will go to (either / neither) Miami or Hawaii for his vacation.

Hint

「not only A but also B」에서 also는 생략되기도 한다.

She can speak not only English but German.
그녀는 영어뿐만 아니라 독일어도 할 수 있다.

B 다음 빈칸에 공통으로 들어갈 말을 쓰시오.

1 I expect ________ the price will rise soon.
________ you speak English well is surprising.

2 She wants to be ________ a teacher nor a lawyer.
________ my mother nor I speak Japanese.

3 Martha is ________ smart and pretty.
Rome is famous for ________ its beauty and its history.

4 They will serve ________ a hamburger or pizza.
You can use ________ the laptop or the desktop.

Plus

목적어 역할을 하는 명사절을 이끄는 접속사 that은 생략할 수 있다.

I believe (that) he can do it by himself.
나는 그가 스스로 그것을 해낼 수 있다고 믿는다.

C 다음 문장에서 잘못된 부분을 찾아 바르게 고치시오.

1 Brenda as well as you are my good friend.

2 That Jim and Karen are dating are just a rumor.

3 Neither I nor my sister have a driver's license.

4 Both Mike and John is good at playing soccer.

5 That they were movie stars are unbelievable.

surprising	unusual or unexpected
laptop	a small computer that can be easily carried
rumor	a story that people talk about, but that may not be true
driver's license	a card that shows that you can legally drive a vehicle
unbelievable	difficult or impossible to believe

A 다음 주어진 단어에 맞도록 의미를 바르게 연결하시오.

1 bank •	a. a pain in your head
2 graduate •	b. a business that keeps and lends money
3 arrive •	c. someone who has completed a university degree
4 headache •	d. very thin, especially in a way that is unattractive
5 skinny •	e. to get to the place you are going to

B 다음 괄호 안에서 알맞은 것을 고르시오.

1 Eva arrived (because / while) we were having coffee.

2 I have lived in Osaka (since / because) I was ten years old.

3 (If / Unless) I go abroad again, I'll take a lot of pictures.

4 Leave now, (and / or) you will catch the last train.

5 (Although / If) she eats a lot, she is skinny.

C 다음 〈보기〉에서 알맞은 단어를 골라 문장을 완성하시오.

보기	both	either	neither	but also	that

1 ________________ my uncle nor my aunt lives in Seoul.

2 The problem is ________________ you don't do your best.

3 Not only Jessica ________________ I am studying in London.

4 ________________ his sister and his brother are college students.

5 You can have ________________ ice cream or cake for dessert.

WORKBOOK

WORKBOOK
Lesson 1

A **다음 괄호에 주어진 동사를 현재진행형 또는 과거진행형으로 고쳐 문장을 완성하시오.**

1 The children ______________ some books at that time. (read)

2 While I ______________ a shower, the telephone rang. (take)

3 Take an umbrella with you. It ______________ very hard now. (rain)

4 I ______________ an email to Mr. Kim now. (write)

5 What __________ you __________ at? Is there something interesting? (look)

B **다음 괄호에 주어진 동사를 이용하여 대화를 완성하시오.**

1 A: What are you doing in the kitchen?
B: I ______________ the dishes now. (wash)

2 A: What was he doing when he twisted his ankle?
B: He ______________ tennis. (play)

3 A: Are Mindy and Susie doing their homework?
B: No, they aren't. They ______________ TV. (watch)

4 A: Where were you last night? I called you, but you didn't answer.
B: Probably, I ______________ a shower when you called. (take)

C **다음 우리말과 일치하도록 괄호에 주어진 말을 이용하여 문장을 완성하시오.** (동사의 시제에 유의할 것)

1 내가 창 밖을 보았을 때 눈이 내리고 있었다. (snow)
→ When I looked out the window, ______________________.

2 너 어젯밤 일곱 시에 무엇을 하고 있었니? (what, do)
→ ______________________ at 7 last night?

3 Bill과 Grace는 그때 식당에서 저녁을 먹고 있었다. (have, dinner)
→ ______________________ at the restaurant at that time.

4 이 꽃들은 냄새가 향기롭다. (these flowers, smell)
→ ______________________ so sweet.

5 이 교과서는 Cathy의 것이다. (this textbook, belong to)
→ ______________________ Cathy.

A 다음 괄호에 주어진 단어를 이용하여 현재완료 문장을 완성하시오.

1 We ____________ at the airport. (arrive)

2 I ____________ in London for 4 years. (be)

3 She ____________ Japanese food before. (try)

4 The train ____________ for Paris. (leave)

5 They ____________ what to do next. (decide)

6 Paula ____________ her homework already. (do)

B 다음 현재완료 부정문, 의문문을 완성하시오.

1 (부정문) She ________ ________ to Italy before. (not, be)

2 (부정문) Peter and Sue ________ ________ ________ Korean food before. (never, try)

3 (부정문) I ________ ________ her since last Monday. (not, see)

4 (부정문) Sam ________ ________ the work yet. (not, finish)

5 (의문문) ________ we ________ before? (meet)

6 (의문문) ________ you ________ your homework yet? (do)

7 (의문문) ________ he ________ the movie before? (see)

8 (의문문) ________ ________ ________ you ________ in Seoul? (how long, be)

C 다음 괄호에 주어진 단어를 단순과거나 현재완료 형태로 문장을 완성하시오.

1 He ____________ born and raised in Busan, but he lives in Seoul now. (be)

2 Peter and I ____________ good friends since we first ____________. (be, meet)

3 Jessica ____________ her wristwatch yesterday, but she has just found it now. (lose)

4 I put my bag on the table, but I can't find it now. It ____________. (disappear)

5 Erica ____________ to Paris five years ago, and she ____________ there since then. (move, live)

6 My uncle ____________ collecting action figures a month ago. (start)

7 The weather ____________ so awful since we arrived. (be)

8 The boy has lived in the same house since he ____________ born. (be)

A **다음 두 문장이 같은 뜻이 되도록 빈칸을 완성하시오.**

1 She told me her name, but I can't remember it.
= I ______ ______ her name. (forget)

2 He started working at the bank five years ago, and he still works there.
= He ______ ______ at the bank for five years. (work)

3 They went to Germany, so they are not home now.
= They ______ ______ to Germany. (go)

B **다음 우리말과 일치하도록 괄호에 주어진 말을 이용하여 문장을 완성하시오.**

1 그는 아직 돌아오지 않았다. (not, return, yet)
→ He ______________________.

2 그녀는 한 번도 그들을 만나 본 적이 없다. (meet, never)
→ She ______________________ them.

3 나는 이미 그 기타 수업에 등록했다. (sign up for, already)
→ I ______________________ the guitar class.

4 Bob과 Harry는 2012년 이래로 계속 그 도시에 살고 있다. (live, since)
→ Bob and Harry ____________ in the city ____________.

C **다음 대화문을 읽고 물음에 답하시오.**

Host: We're going to have a famous writer today. Welcome, Steven! Thank you for being here.
Steven: Thank you! It's my pleasure.
Host: Readers from all around the world love your books. How do you feel about this?
Steven: I've never been so happy, and I want to say thank you to all of my readers.
Host: You have ⓐ ________(write) a lot of books. (a) 현재까지 몇 권의 책을 쓰셨나요?
Steven: Well, I ⓑ ________(finish) one yesterday. I have ⓒ ________(do) seven books in total.

1 괄호에 주어진 말을 이용하여 ⓐ~ⓒ에 들어갈 말을 완성하시오.

ⓐ ____________ ⓑ ____________ ⓒ ____________

2 (a)의 우리말과 일치하도록 주어진 단어를 이용하여 영작하시오. (how many books, write, so far)

____

WORKBOOK
Lesson 1

A 다음 두 문장이 같은 뜻이 되도록 조동사를 이용하여 빈칸을 완성하시오.

1 Is it all right if I turn off the television?
= ______________________ the television?

2 Are you able to stand on your hands?
= ______________________ on your hands?

3 Is it possible for you to help me set the table?
= ______________________ me set the table?

4 Is it all right if I ask you for a favor?
= ______________________ you for a favor?

B 다음 <보기>에서 알맞은 조동사를 골라 대화를 완성하시오. (중복 가능)

보기 will can may

1 A: __________ I use your phone?
B: Sure. Go ahead.

2 A: Where is Susie? I haven't seen her today.
B: She __________ be at her friend's house.

3 A: I have two concert tickets for today. __________ you go with me?
B: Sure. I would love to.

4 A: __________ you have another cup of cocoa?
B: Yes, I will. Thank you.

C 다음 우리말과 일치하도록 괄호에 주어진 말을 이용하여 영작하시오. (적절한 조동사를 쓸 것)

1 저에게 주목 해주시겠어요? (have your attention)
→ ______________________

2 그는 그 회의에 없을지도 모른다. (be at the meeting)
→ ______________________

3 그 사진을 보셔도 좋습니다. (have a look at, the photo)
→ ______________________

4 커피 좀 갖다 주겠니? (give me, some coffee)
→ ______________________

A 다음 우리말과 일치하도록 괄호에 주어진 단어와 조동사를 이용하여 문장을 완성하시오.

1 당신은 여기서 동물들에게 먹을 것을 주면 안 된다. (feed)

→ You ______________________ animals here.

2 그들은 매우 용감함이 틀림없다. (be)

→ They ______________________ very brave.

3 너는 성적을 걱정할 필요가 없다. (worry)

→ You ______________________ about your grades.

4 합격하고 싶다면 너는 열심히 공부해야 할 것이다. (study)

→ If you want to pass the exam, you ______________________ hard.

B 다음 주어진 문장을 ought to를 이용하여 다시 쓰시오.

1 They should respect the elderly.

→ ______________________

2 He should follow my advice.

→ ______________________

3 I shouldn't break the law.

→ ______________________

4 You shouldn't overwork.

→ ______________________

C 다음 우리말과 일치하도록 괄호에 주어진 말을 배열하여 문장을 완성하시오.

1 그녀는 노래를 잘하는 것이 틀림없다. (good, be, at, must, singing)

→ She ______________________.

2 그는 여기서 기다릴 필요가 없다. (have to, doesn't, wait, here)

→ He ______________________.

3 너는 너무 빨리 운전하면 안 된다. (too fast, must, drive, not)

→ You ______________________.

4 칼을 쓸 때에는 조심해야 한다. (you, be, ought to, careful)

→ ______________________ when you use a knife.

A 다음 주어진 문장을 〈보기〉에 주어진 말을 이용하여 뜻이 같은 문장으로 다시 쓰시오. (중복 가능)

보기	had better	used to	would like to

1 He lived in Jejudo, but not anymore.
→ ______________________________

2 I want to audition for the new movie.
→ ______________________________

3 You should not follow his advice.
→ ______________________________

4 We should finish our project by this week.
→ ______________________________

B 다음 우리말과 일치하도록 괄호에 주어진 말과 would rather를 이용하여 문장을 완성하시오.

1 그녀는 지하철을 타는 것이 낫다고 생각한다. (take)
→ She ______________________ the subway.

2 나는 그 콘서트에 안 가는 것이 좋겠다. (go)
→ I ______________________ to the concert.

3 그는 밖에 나가는 것보다 안에 있는 것을 원한다. (stay inside, go out)
→ He ______________________________.

4 그는 지하철을 타는 것보다 택시를 타는 것을 원한다. (take a taxi, take the subway)
→ He ______________________________.

C 다음 괄호에 주어진 말을 이용하여 ⓐ, ⓑ에 들어갈 말을 완성하시오.

A: I have watched the new *Space Wars* movie. Have you seen it?
B: No, I haven't. ⓐ 나도 그것을 보고 싶어! What's the movie like?
A: It has a very good storyline. And the acting is incredible!
You can find lots of reviews that say it is excellent.
B: No, ⓑ 그것들을 읽지 않는 것이 좋겠어 because many reviews have spoilers.
I think I'll watch and judge it myself.

ⓐ ______________________________ (like, watch, too)

ⓑ ______________________________ (better, read)

A 다음 우리말과 일치하도록 괄호에 주어진 말을 이용하여 문장을 완성하시오.

1 그 영화는 많은 아이들에게 사랑 받는다. (love, many children)

→ The movie ______________________.

2 그 질문은 Ryan이 했다. (ask, Ryan)

→ The questions ______________________.

3 후식은 요리사에 의해 준비되었다. (prepare, the chef)

→ Dessert ______________________.

4 그 집들은 높은 산으로 둘러싸여 있다. (surround, tall mountains)

→ The houses ______________________.

B 다음 주어진 문장을 수동태로 다시 쓰시오.

1 Michelangelo sculpted *David*.

→ ______________________

2 Jean didn't mail the letters.

→ ______________________

3 Did Danny invite Marian to the party?

→ ______________________

4 When did they deliver the packages?

→ ______________________

C 다음 우리말과 일치하도록 괄호에 주어진 말을 이용하여 영작하시오.

1 그 행사는 Peter에 의해 준비되었다. (the event, organize)

→ ______________________

2 Tom은 공에 맞지 않았다. (hit, a ball)

→ ______________________

3 그 마을은 폭우로 침수되었나요? (the village, flood, heavy rain)

→ ______________________

4 영어는 어디에서 사용되나요? (English, speak)

→ ______________________

WORKBOOK
Lesson 2

A 다음 주어진 문장을 수동태로 바꿀 때 빈칸에 알맞은 말을 쓰시오.

1 They will build a car factory in this village.
→ A car factory ______________________ in this village.

2 Mr. Kim has owned the car for over 20 years.
→ The car ______________________ by Mr. Kim for over 20 years.

3 Jackson cannot solve the problem.
→ The problem ______________________ by Jackson.

4 A repairman is fixing the television.
→ The television ______________________ by a repairman.

B 다음 주어진 문장을 수동태로 다시 쓰시오.

1 You must answer all the questions on the sheet.
→ ____

2 The band will play their new song.
→ ____

3 They haven't fixed the roof yet.
→ ____

4 Are they interviewing Ms. Anderson?
→ ____

C 다음 밑줄 친 부분 중 잘못된 것을 찾아 고쳐 쓰시오.

A: Thanks for calling Tommy's Books. How may I help you?
B: Yes, my book ⓐ hasn't arrived yet. Could you check the status of my order?
A: Sure, who ⓑ made the order? And ⓒ was the order made online?
B: The order ⓓ was made by me online last Friday.
A: Can I have the order number?
B: Sure, it is 12315.
A: Okay, the book ⓔ will deliver tomorrow.

____

A 다음 〈보기〉에서 알맞은 동사를 골라 to부정사로 바꿔 문장을 완성하시오.

보기	participate	take	stay	forget

1 ______________ up late is not easy for me.

2 I want ______________ the bad memory.

3 Our team decided ______________ in the competition.

4 His job is ______________ care of our garden.

B 다음 우리말과 일치하도록 괄호에 주어진 말과 의문사를 이용하여 문장을 완성하시오.

1 나는 무엇을 골라야 할지 모르겠다. (choose)
→ I don't know ______________________________.

2 언제 멈춰야 하는지 저에게 알려 주세요. (stop)
→ Please tell me ______________________________.

3 그들은 누구를 초대할지 결정하지 않았다. (invite)
→ They haven't decided ______________________________.

4 나는 서울 어디에 머물러야 할지 확실하지 않다. (stay)
→ I'm not sure ______________________________ in Seoul.

5 그는 나에게 그 단어를 어떻게 발음해야 하는지 가르쳐 줬다. (pronounce)
→ He taught me ______________________________ the word.

C 다음 우리말과 일치하도록 괄호에 주어진 말을 배열하여 문장을 완성하시오.

1 그는 늦지 않으려고 항상 노력한다. (be, to, not, late)
→ He always tries ______________________________.

2 그 소년은 너무 오래 컴퓨터 게임을 하지 않겠다고 약속했다. (computer games, to, not, play)
→ The boy promised ______________________________ for too long.

3 아버지는 밤 늦게 나가지 말라고 말씀하셨다. (out, not, go, to)
→ Dad told me ______________________________ late at night.

4 나는 불법 소프트웨어를 사용하지 않기로 결심했다. (use, to, illegal software, not)
→ I decided ______________________________.

A 다음 〈보기〉에서 알맞은 말을 골라 to부정사로 바꿔 문장을 완성하시오.

보기 sit on live in visit do

1 We have a lot of things ________________ today.

2 I need to find a house ________________.

3 There are lots of places ________________ in Seoul.

4 Please bring me a chair ________________.

B 다음 우리말과 일치하도록 괄호에 주어진 말을 이용하여 문장을 완성하시오.

1 그렇게 말하다니 당신은 상냥하군요. (nice, say)
→ You are ________________ so.

2 이 프로그램은 사용하기 쉽다. (easy, use)
→ This program is ________________.

3 그 소식을 들어 매우 기쁩니다. (glad, hear)
→ I'm very ________________ the news.

4 그 소녀는 자라서 유명한 과학자가 되었다. (be, a famous scientist)
→ The girl grew up ________________.

5 그들은 최선을 다했지만 실패했다. (only, fail)
→ They tried their best ________________.

C 다음 우리말과 일치하도록 괄호에 주어진 말을 배열하여 문장을 완성하시오.

1 나는 조사를 하려고 인터넷을 사용했다. (order, do, in, some research, to)
→ I used the Internet ________________.

2 그 음악은 듣기에 좋다. (listen, to, pleasant, to)
→ The music is ________________.

3 그들은 자신의 팀이 선수권 대회에서 승리하는 것을 보아서 기뻤다. (to, excited, were, see)
→ They ________________ that their team won the championship.

4 나는 쓸 펜이 필요하다. (write, to, a pen, with)
→ I need ________________.

A 다음 주어진 문장을 가주어 it을 이용하여 다시 쓰시오.

1 To read novels is fun.

→ ______________________________

2 To eat junk food is unhealthy.

→ ______________________________

3 To forgive someone is not always easy.

→ ______________________________

B 다음 우리말과 일치하도록 괄호에 주어진 말을 이용하여 문장을 완성하시오.

1 우리 아기를 돌봐주다니 당신은 좋은 사람입니다. (nice, you, take care of)

→ It is very ______________________________ my baby.

2 그들을 믿다니 내가 어리석었다. (stupid, me, believe)

→ It was so ______________________________ them.

3 그녀가 더 이상 뛰는 것은 불가능해 보인다. (impossible, her, run)

→ It is ______________________________ any further.

4 그 문제들은 그가 풀기에 어려웠다. (difficult, him, solve)

→ The problems were so ______________________________.

C 다음 대화문을 읽고 물음에 답하시오.

A: Dad, can you buy me a new computer?

B: Your computer is working well, isn't it?

A: No, it keeps crashing, and sometimes I lose my data. (a) It is too slow for me to get online with.

B: I saw you playing a computer game last night. How could you play an online game with that slow computer? (b) 그것은 아직 사용하기에 충분히 좋아. I don't think it's necessary to buy a new one.

1 (a)와 같은 뜻이 되도록 빈칸에 알맞은 말을 쓰시오.

It is ________ ________ that ________ ________ ________ online with it.

2 (b)의 우리말과 일치하도록 괄호에 주어진 말을 이용하여 영작하시오. (it, still, good, use)

____

WORKBOOK
Lesson 1

A 다음 밑줄 친 부분을 어법에 맞게 동명사로 고쳐 쓰시오.

1 Eat carrots is good for your eyes. ________

2 My favorite activity is play the guitar. ________

3 Peter gave up learn Chinese. ________

4 I'm excited about visit Australia. ________

B 다음 우리말과 일치하도록 괄호에 주어진 말을 이용하여 문장을 완성하시오.

1 그녀는 나의 조언을 듣지 않은 것을 후회하고 있다. (not, listen)
→ She regrets ________ to my advice.

2 그는 제시간에 오지 않은 것에 대해 사과했다. (not, come)
→ He apologized for ________ on time.

3 나는 가끔씩 아무것도 하지 않는 것을 즐긴다. (not, do)
→ I sometimes enjoy ________ anything.

4 패스트푸드를 먹지 않는 것은 몸무게를 줄이는 첫 번째 단계이다. (not eat)
→ ________ fast food is the first step to lose weight.

C 다음 두 문장이 같은 뜻이 되도록 〈보기〉와 같이 빈칸을 완성하시오.

보기 My aunt takes photographs. It is her hobby.
→ My aunt's hobby is taking photographs.

1 My brother listens to rock music. He enjoys it.
→ My brother enjoys ________.

2 I play board games with my friends. It is my favorite pastime.
→ My favorite pastime is ________ with my friends.

3 Brush your teeth after each meal. It is a good habit.
→ ________ after each meal is a good habit.

4 My little brother was scolded because he didn't keep his promise.
→ My little brother was scolded for ________.

5 Don't eat too many sweets. It is bad for your teeth.
→ ________ is bad for your teeth.

A 다음 괄호에 주어진 말을 이용하여 문장을 완성하시오.

1 Mark decided ____________ to the concert. (go)

2 She doesn't want ____________ a pet. (adopt)

3 He has just finished ____________ the book. (read)

4 I don't really mind ____________ my table. (share)

5 No one likes ____________ games. (lose)

6 The rain began ____________ down. (pour)

B 다음 우리말과 일치하도록 〈보기〉에 주어진 말을 이용하여 문장을 완성하시오.

보기	buy	visit	put on	have	turn off

1 그녀는 작년에 도쿄를 방문했던 것을 기억한다.
→ She remembers ____________ Tokyo last year.

2 그는 그 새 외투가 맞는지 입어보았다.
→ He tried ____________ the new jacket to see if it fits him.

3 나는 영화 시작 전에 스마트폰을 끄는 것을 잊었다.
→ I forgot ____________ my smartphone before the movie.

4 집에 오는 길에 빵을 살 것을 기억해라.
→ Please remember ____________ bread on your way home.

5 일꾼들은 휴식을 취하기 위해 하던 일을 멈췄다.
→ The workers stopped ____________ a rest.

C 다음 괄호에 주어진 말을 이용하여 문장을 완성하시오.

1 We ____________ the other day. (go, ski)

2 The kids ____________ now. (busy, do their homework)

3 I don't ____________ right now. (feel like, drink, coffee)

4 My brother is ____________ the new movie. (look, forward, watch)

5 My sister usually ____________. (spend, her free time, paint)

A 다음 〈보기〉에서 알맞은 단어를 골라 동명사나 현재분사로 바꿔 문장을 완성하시오.

보기 sleep write walk fry ride bark

1 The kids enjoyed ________________ bicycles.

2 His favorite hobby is ________________ his own songs.

3 I didn't go near the ________________ dog.

4 The old lady cannot walk without a ________________ stick.

5 We need a new ________________ pan.

6 I saw a baby ________________ on the bed.

B 다음 괄호에 주어진 단어를 이용하여 문장을 완성하시오.

1 I was so ________________ that I fell asleep quickly. (tire)

2 What ________________ news! I can't believe my ears! (surprise)

3 He was very ________________ when he got the message. (excite)

4 She fell asleep during the movie because it was really ________________! (bore)

5 They were ________________ with the band's performance. (disappoint)

C 다음 괄호에 주어진 말을 이용하여 ⓐ~ⓓ에 들어갈 말을 완성하시오.

A: This is Springfield Fire Station. May I speak to Mr. Jones?
B: This is Jones speaking. May I ask what this is about?
A: We are ⓐ ________ (look) for some information about the burnt house.
You called 911 and reported the house fire, didn't you?
B: Yes, I saw the house ⓑ ________ (burn) and called 911 the other day.
A: Did you see a stranger ⓒ ________ (walk) around the house?
B: Yes, I remember seeing a man. He was ⓓ ________ (run) out of the house.
A: We have no clues about the man. Do you mind visiting our station? We need your help.
B: Sure, what time should I visit you?

ⓐ ________________ ⓑ ________________ ⓒ ________________ ⓓ ________________

A 다음 괄호에 주어진 단어를 이용하여 각각의 문장을 완성하시오.

1 (iron)
• She smoothed out her blouse with ______________.
• Black beans and green vegetables contain ______________.

2 (paper)
• I was reading a news story in ______________.
• We need ______________, glue, a ruler, and scissors.

3 (room)
• There isn't any ______________ for another table here.
• Tom shares ______________ with his older brother.

4 (glass)
• There is broken ______________ all over the floor.
• Please bring me ______________. I want to drink some juice.

B 다음 우리말과 일치하도록 괄호에 주어진 말을 이용하여 문장을 완성하시오.

1 나는 편의점에서 물 두 병을 샀다. (bottle, water)
→ I bought ______________________________ at the convenience store.

2 그녀는 빵 위에 치즈 한 장을 올려놓았다. (slice, cheese)
→ She put ______________________________ on her bread.

3 그는 보통 커피에 설탕 한 티스푼을 넣는다. (teaspoon, sugar)
→ He usually put ______________________________ in his coffee.

4 웨이터는 테이블에 주스 몇 잔을 놓았다. (a few, glass, juice)
→ The waiter put ______________________________ on the table.

5 집에 오는 길에 우유 두 통 좀 사올래? (carton, milk)
→ Can you buy ______________________________ on your way home?

C 다음 괄호에 주어진 말을 단수 또는 복수로 바꿔 대화를 완성하시오.

Jack: We have pasta, lettuce, ⓐ ________ (egg), ⓑ ________ (apple), and ⓒ ________ (meat).
Amy: OK. We have everything that is on the shopping list. Let's go and check out.
Jack: Oh, no! I forgot to bring my wallet! Do you have any ⓓ ________ (money) or credit cards with you?
Amy: Don't worry. I have 40 ⓔ ________ (dollar) in my wallet. That will be enough.

ⓐ __________ ⓑ __________ ⓒ __________ ⓓ __________ ⓔ __________

A 다음 괄호에 주어진 명사를 소유격('s, of)을 이용하여 쓰시오.

1 My sister went to a ______________________. (girls, school)

2 May 5th is ______________________ in Korea. (children, day)

3 ______________________ is next month. (my father, birthday)

4 ______________________ was unforgettable. (the ending, the movie)

5 Who is ______________________? (the owner, the shop)

6 Do you know ______________________? (the name, the book)

B 다음 빈칸에 적절한 재귀대명사를 쓰시오.

1 I looked at ____________ in the mirror.

2 Please introduce ____________ to the audience.

3 The man cut ____________ when he was shaving.

4 My mother painted the ceiling ____________.

5 The movie ____________ was good, but I didn't like the actors.

6 They enjoyed ____________ at the party.

C 다음 우리말과 일치하도록 빈칸에 알맞은 말을 쓰시오.

1 우리 삼촌은 자주 혼자 여행을 간다.
→ My uncle often goes on a trip ____________ ____________.

2 Mary는 기타 치는 법을 독학했다.
→ Mary ____________ ____________ to play the guitar.

3 들어와서 편히 계세요.
→ Please come in and ____________ ____________ ____________ ____________.

4 그건 우리끼리의 비밀이야. 아무에게도 이야기하지 마.
→ It's ____________ ____________. Please don't tell anyone about it.

5 저는 당신에게 말을 하는 게 아니에요. 그냥 혼자서 한 소리예요.
→ I'm not talking to you. I'm just ____________ ____________ ____________.

A 다음 빈칸에 one(s), it, another 중 적절한 것을 써서 대화를 완성하시오.

1 A: Which do you like better?
B: The white ________________.

2 A: We don't have any batteries for flashlights.
B: Don't worry. I'll buy new ________________.

3 A: Why don't you try this shirt on?
B: This is too bright. Can you show me ________________?

4 A: What did your parents get you for your birthday?
B: They gave me a bicycle, and I really like ________________.

5 A: This tea tastes really good. Can I have ________________ cup?
B: Sure.

B 다음 〈보기〉에서 알맞은 말을 골라 문장을 완성하시오. (중복 가능)

보기	one	another	the other(s)	others

1 I have several pets. One is a dog, but ________________ are cats.

2 Some people want juice while ________________ want cola.

3 I have two brothers. ________________ is 10 years old. ________________ is 12.

4 Mr. Park has three daughters. ________________ is a doctor. ________________ is a singer. ________________ is an actress.

C 다음 우리말과 일치하도록 적절한 부정대명사를 쓰시오.

1 어떤 사람들은 UFO와 외계인의 존재를 믿지만, 다른 사람들은 그렇지 않다.
→ ________________ believe in UFOs and aliens while ________________ don't.

2 나는 세 자녀가 있다. 한 명은 밴쿠버에 살고, 나머지는 파리에 산다.
→ I have three children. ________________ lives in Vancouver, and ________________ live in Paris.

3 방에 여섯 마리의 개가 있다. 일부는 먹고 있고, 나머지는 자고 있다.
→ There are six dogs in the room. ________________ are eating, and ________________ are sleeping.

4 어떤 사람들은 그 계획에 찬성하고 나머지는 그 계획에 반대한다.
→ ________________ are for the plan, and ________________ are against it.

WORKBOOK
Lesson 4

A 다음 〈보기〉에서 알맞은 말을 골라 문장을 완성하시오. (중복 가능)

보기	both	all	each	no

1 I have two brothers. ____________ of them are musicians.

2 ____________ product has a price tag.

3 ____________ the new furniture has arrived.

4 She has four cats. ____________ her cats used to be street cats.

5 ____________ student is wearing a uniform.

6 Mark couldn't buy snack foods because he had ____________ money with him.

B 다음 괄호에 주어진 동사를 어법에 맞게 현재형으로 고치시오.

1 All the seats ____________ taken. (be)

2 Each of the members ____________ a membership card. (have)

3 Every child ____________ to win the prize. (want)

4 Both of the boys ____________ old friends of mine. (be)

5 All of my luggage ____________ missing. (be)

C 다음 우리말과 일치하도록 괄호에 주어진 말을 이용하여 영작하시오. (some, any, no를 이용할 것)

1 남자 형제나 여자 형제가 있나요? (have, brothers or sisters)

→ ______________________________

2 나는 6시까지 끝내야 할 일이 좀 있다. (have, work, finish, by 6)

→ ______________________________

3 냉장고에 달걀이 하나도 없다. (there, not, eggs, in the refrigerator)

→ ______________________________

4 쿠키 좀 먹을래? (would, like, cookies)

→ ______________________________

5 그 병 안에 사탕이 하나도 없다. (there, candies, in the jar)

→ ______________________________

A **다음 괄호에 주어진 형용사를 이용하여 각각의 문장을 완성하시오.** (중복 불가)

1 (alike / the same)
- The two dogs look ______________.
- Peter and I go to ______________ school.

2 (asleep / sleeping)
- The baby is ______________.
- Look at the ______________ baby.

3 (alive / live)
- No one can stay ______________ without food for months.
- I am against using ______________ animals in scientific experiments.

B **다음 우리말에 맞게 〈보기〉에서 알맞은 말을 골라 문장을 완성하시오.** (중복 가능)

보기	late	certain	present

1 그는 승리할 수 있다는 것을 확신했다.
→ He was ______________ that he could win.

2 나는 특정 음식에 알레르기가 있다.
→ I'm allergic to ______________ foods.

3 그녀는 그 행사에 참석할 것이다.
→ She'll be ______________ at the event.

4 Mark는 현재 직업에 만족한다.
→ Mark is satisfied with his ______________ job.

5 버스가 또 늦네. 택시를 타자.
→ The bus is ______________ again. Let's take a taxi.

6 이 노래는 고인이 된 Peter Smith가 작곡했다.
→ This song was written by the ______________ Peter Smith.

C **다음 우리말과 일치하도록 괄호에 주어진 말을 이용하여 영작하시오.** (관사 the를 이용할 것)

1 부자들이 항상 행복한 것은 아니다. (rich, not, always, happy)
→ ______________________________

2 그는 가난한 사람들을 돕기 위해 돈을 모은다. (raise, money, help, poor)
→ ______________________________

3 그 의사는 아픈 환자들을 친절하게 치료한다. (the doctor, treat, sick, with kindness)
→ ______________________________

A 다음 ⓐ, ⓑ의 빈칸에 공통으로 들어갈 말을 〈보기〉에서 찾아 쓰시오.

보기	early	fast	long

1 ⓐ Brian is a ________________ swimmer.
ⓑ Brian can swim very ________________.

2 ⓐ Sam went home ________________ yesterday.
ⓑ The ________________ bird catches the worm.

3 ⓐ An old man walked down the ________________ corridor.
ⓑ The meeting didn't last ________________.

B 다음 괄호에 주어진 단어를 이용하여 각각의 문장을 완성하시오.

1 (hard, hardly)
• You need to practice ________________ for the contest.
• I can ________________ believe your story.

2 (high, highly)
• The bird is flying ________________ in the sky.
• His recent novel is ________________ successful.

3 (near, nearly)
• ________________ 100 people attended the lecture.
• The subway station is quite ________________.

C 다음 우리말과 일치하도록 괄호에 주어진 말과 such나 so를 써서 문장을 완성하시오.

1 그것은 매우 훌륭한 영화였다. (good, movie)
→ It was ________________________________.

2 날씨가 정말 아름답다! (beautiful)
→ The weather is ________________________________!

3 나는 저렇게 큰 고래들을 본 적이 없다. (large, whales)
→ I've never seen ________________________________.

4 백 선생님은 말씀을 너무 빨리 해서 그의 말을 알아듣기 힘들다. (quickly)
→ Mr. Baek speaks ________________________________ that it's hard to follow him.

5 그녀가 그렇게 어린 나이에 성공했다는 것을 믿을 수 없다. (young, age)
→ I can't believe that she became successful at ________________________________.

A 다음 괄호에 주어진 단어를 이용하여 문장을 완성하시오.

1 Can you run ________________ than me? (fast)

2 These socks are as ________________ as those ones. (old)

3 Oranges are usually ________________ than lemons. (sweet)

4 The novel is not as ________________ as the movie. (famous)

5 This skirt is ________________ than that one. (expensive)

B 다음 우리말과 일치하도록 괄호에 주어진 말을 이용하여 문장을 완성하시오.

1 내 방은 형 방만큼 크다. (big)
→ My room is ____________________________ my brother's room.

2 축구는 농구만큼 신난다. (exciting)
→ Soccer is ____________________________ basketball.

3 Thompson 씨는 Brown 씨만큼 열심히 일한다.
→ Mr. Thompson works ____________________________ Mr. Brown.

4 한국의 여름은 캐나다의 여름보다 습하다. (humid)
→ Summer in Korea is ____________________________ in Canada.

5 나일강은 미시시피강보다 길다. (long)
→ The Nile is ____________________________ the Mississippi.

C 다음 주어진 두 문장과 의미가 통하도록 괄호 안의 단어를 이용하여 문장을 완성하시오.

1 This bag is 20kg. That bag is 15kg. (light, than)
→ That bag ____.

2 The black jacket is $30. The green jacket is $30. (expensive, as)
→ The black jacket ____.

3 Jane goes shopping twice a month. I go shopping once a month. (often, as)
→ I ____.

4 Steve can speak three languages. Mike can speak four languages. (more, than)
→ Mike ____.

A 다음 괄호에 주어진 단어와 「최상급+전치사」를 이용하여 문장을 완성하시오.

1 Who is ______________ student ________ your class? (tall)

2 That church is ______________ building ________ the city. (old)

3 Tom Smith is ______________ actor ________ his country. (popular)

4 This is ______________ ________ his songs. (famous)

5 His recent movie is ______________ ________ the movies he has made. (thrilling)

B 다음 우리말과 일치하도록 괄호에 주어진 말을 이용하여 문장을 완성하시오.

1 그는 그 프로젝트에 점점 더 관심을 갖게 되었다. (interested)

→ He got ______________________________ in the project.

2 뉴욕은 세계에서 가장 혼잡한 도시 중 하나이다. (busy, city)

→ New York is ______________________________ in the world.

3 점점 더 많은 사람들이 이 미술관을 방문하고 있다. (many, people)

→ ______________________________ are visiting this art museum.

4 나는 되도록 빨리 숙제를 끝내고 싶다. (soon, possible)

→ I want to finish my homework ______________________________.

C 다음 대화문을 읽고 물음에 답하시오.

Teacher: Today, we will learn about the solar system. ⓐ Jupiter is the biggest planet in the solar system, and Mercury is the smallest one.

Student: What about the Earth?

Teacher: It is the fifth largest planet.

Student: I have another question, Mrs. Madison. ⓑ 지구와 화성 중 어떤 행성이 더 뜨거운가요?

Teacher: Actually, Mars gets hotter and colder than the Earth because Mars has a much thinner atmosphere than the Earth.

1 밑줄 친 ⓐ를 뜻이 같은 비교급 문장으로 다시 쓰시오. (11단어로 쓸 것)

= ______________________________

2 ⓑ의 우리말과 일치하도록 괄호에 주어진 말을 이용하여 영작하시오. (which planet, hot)

→ ______________________________

WORKBOOK
Lesson 1

A 다음 괄호에 주어진 단어를 이용하여 가정법 과거 문장을 완성하시오.

1 If I ______________ time, I would work out every day. (have)

2 If he loved chess, he would ______________ our chess club. (join)

3 If she ______________ sick, she would go to school. (be, not)

4 If I had enough money, I could ______________ abroad. (travel)

B 다음 주어진 문장을 가정법 과거 문장으로 다시 쓰시오.

1 As I am not rich enough, I can't buy a beautiful house.
→ If ____.

2 As Jessie is too short, she cannot join the basketball team.
→ If ____.

3 As he is too busy, he cannot attend the lecture.
→ If ____.

4 As it is raining, the kids cannot play outside.
→ If ____.

5 As you don't improve your skills, you cannot get a job easily.
→ If ____.

C 다음 우리말과 일치하도록 괄호에 주어진 말을 배열하여 문장을 완성하시오.

1 Ellen이 아프지 않았으면, 그녀는 지금 우리와 함께 있을 텐데.
(not, would, were, she, sick, be, with us, now)
→ If Ellen ____.

2 눈이 내리고 있지 않으면, 그는 직장에 차를 몰고 갈 텐데.
(he, weren't snowing, drive, would, to work)
→ If it ____.

3 내가 기타가 있었으면, 너를 위해 연주할 텐데. (a guitar, had, I, play, it, would, for you)
→ If I ____.

4 민수가 그 사실을 알고 있었다면, 그는 매우 실망할 텐데.
(would, the fact, knew, he, be, very disappointed)
→ If Minsu ____.

WORKBOOK
Lesson 2

A 다음 괄호에 주어진 동사를 이용하여 조건 또는 가정법 과거 문장을 완성하시오.

1 If I received more pocket money from my parents, I ________________ snacks every day. (can, buy)

2 If I ________________ a driver's license, I could drive a car. (have)

3 If the weather ________________ fine, we will have a picnic outside. (be)

4 If you ________________ to him, he won't talk to you again. (not, apologize)

5 If you bring the receipt, we ________________ you a full refund. (give)

B 다음 주어진 문장을 가정법 과거 문장으로 다시 쓰시오.

1 I'm sorry I don't have my umbrella with me.
= I wish ____.

2 I'm sorry Tom isn't here with us.
= I wish ____.

3 I'm sorry I'm not good at math like you.
= I wish ____.

4 I'm sorry I cannot speak English well.
= I wish ____.

C 다음 대화문을 읽고 물음에 답하시오.

A: I wish that I ⓐ ____________ (be) Midas. If I ⓑ ____________ (have) the golden hand of Midas, I could change everything into gold.

B: You know the whole story?

A: No, please tell me!

B: He couldn't eat anything because when he tried to eat something, it changed into gold. He even turned his own daughter into gold. At last, he asked Dionysus to remove the magic power.

A: Then, I've changed my mind. (a) 나는 내가 백만장자였으면 좋겠어.

1 괄호에 주어진 말을 이용하여 ⓐ, ⓑ에 들어갈 말을 완성하시오.

ⓐ ________________ ⓑ ________________

2 (a)의 우리말과 일치하도록 괄호에 주어진 말을 이용하여 영작하시오. (wish, a millionaire)

____

WORKBOOK
Lesson 1

A 다음 빈칸에 적절한 관계대명사를 써서 문장을 완성하시오.

1 Has she talked to the mechanic ________________ had fixed her car?

2 Mindy lost the letter ________________ was sent by her grandmother.

3 I bought a book ________________ was written by Eugene O'Neill.

4 Do you know the girl ________________ came from Prague?

5 He saw a cat ________________ was sitting on the roof.

6 Look at the child and puppies ________________ are playing together.

B 다음 〈보기〉에서 알맞은 것을 골라 문장을 완성하시오.

보기
ⓐ who drives a taxi
ⓑ which is used in badminton
ⓒ who cooks food in a restaurant
ⓓ which has wings and flies in the air
ⓔ which helps you see small objects better

1 A chef is a person ________________________________.

2 A shuttlecock is a light object ________________________________.

3 A taxi driver is someone ________________________________.

4 A microscope is a tool ________________________________.

5 A plane is a vehicle ________________________________.

C 다음 주어진 문장을 관계대명사를 이용하여 다시 쓰시오.

1 John is the boy. He is playing the cello on the stage.
→ ________________________________

2 Softball is a sport. It is similar to baseball.
→ ________________________________

3 The movie was very successful. It was directed by Paul Smith.
→ ________________________________

4 The old man is my grandfather. He was fishing alone on a boat.
→ ________________________________

A 다음 빈칸에 who(m), which, whose 중 알맞은 것을 써서 문장을 완성하시오.

1 Who wrote the book ____________ title is *Wonder*?

2 She is one of my students ____________ I teach at a high school.

3 The blender ____________ I ordered online hasn't arrived yet.

4 The bakery ____________ you are looking for has moved to a different place.

5 He likes the girl ____________ name is Amanda.

B 다음 주어진 두 문장을 관계대명사를 이용하여 한 문장으로 쓰시오. (생략 가능한 관계대명사는 생략할 것)

1 Where is the bag of chips? I bought it yesterday.

→ ________________________________

2 This is my new classmate. I told you about him earlier.

→ ________________________________

3 The artworks are beautiful. Jim created them.

→ ________________________________

4 I lost the DVD. Its title is *Stone Age*.

→ ________________________________

5 I have a friend. Her father is a firefighter.

→ ________________________________

C 다음 우리말과 일치하도록 괄호에 주어진 말을 배열하여 영작하시오.

1 나는 네가 나에게 추천했던 그 소설을 읽고 있다. (recommended, I, the novel, am reading, you, which, to me)

→ ________________________________

2 나는 네가 찾고 있던 사진을 찾았다. (you, I, found, were looking for, the picture)

→ ________________________________

3 당신이 이해하지 못한 것이 있나요? (don't understand, is, anything, there, you)

→ ________________________________

4 그는 스케이트보드를 도둑맞은 소년이다. (was, he, whose skateboard, the boy, is, stolen)

→ ________________________________

A 다음 <보기>에서 알맞은 관계부사를 골라 문장을 완성하시오.

보기	when	where	why	how

1 No one knows the reason ______________ he quit the job.

2 2014 was the year ______________ my brother graduated from college.

3 This chapter explains ______________ we digest food.

4 Korea is the country ______________ I was born and grew up.

B 다음 주어진 두 문장을 관계부사를 이용해서 한 문장으로 쓰시오.

1 I really like the way. You sing in that way.

→ ____

2 I don't know the reason. Jean is absent for that reason.

→ ____

3 Stockholm is the city. She was born in that city.

→ ____

4 I can't wait for the day. Winter vacation begins on that day.

→ ____

5 Let me tell you the way. You can improve your language skills in that way

→ ____

C 다음 ⓐ, ⓑ에 들어갈 관계부사를 각각 쓰시오.

Eric: Jason, have you ever been to Disney World?
Jason: Are you talking about the place ⓐ ________ many kids want to go?
Eric: Yes. I'm going there with my sisters tomorrow. Do you want to join us?
Jason: That sounds great. By the way, do I know your sisters?
Eric: Probably. Do you remember my family picture I showed you?
Jason: Oh, I remember now. Tell me the time ⓑ ________ we will meet.
Eric: Okay, let's meet at 10 a.m. We'll be waiting at Central Station. Call me when you arrive.

ⓐ ______________ ⓑ ______________

WORKBOOK
Lesson 1

A 다음 〈보기〉에서 알맞은 접속사를 골라 문장을 완성하시오. (중복 불가)

보기	since	when	until

1 I'd better wait ______________ she calls me.

2 Peter has lived in London ______________ he moved there.

3 I saw my brother watching TV ______________ I returned home.

보기	because	after	before

4 My cousin got a job right ______________ she graduated from high school.

5 ______________ the ceiling is leaking, we need to have it repaired.

6 ______________ you go out, please turn off all the lights.

B 다음 주어진 두 문장을 괄호에 주어진 접속사를 이용해 한 문장으로 다시 쓰시오.

1 We were too busy. We postponed the meeting. (since)

→ ______________________________

2 He was climbing a tree. He accidentally touched a beehive on it. (while)

→ ______________________________

3 I was walking down the street. I saw a group of people cycling along. (as)

→ ______________________________

4 It's getting cold. We'd better go home now. (as)

→ ______________________________

C 다음 우리말과 일치하도록 괄호에 주어진 말을 이용하여 문장을 완성하시오.

1 내가 어렸을 때 할아버지와 자주 낚시하러 갔다. (when, young)

→ ______________________, I went fishing with my grandfather very often.

2 너무 밝아서 나는 눈을 뜰 수 없었다. (since, it, too bright)

→ ______________________, I couldn't open my eyes.

3 그녀는 버스가 도착할 때까지 기다렸다. (until, the bus, arrive)

→ She waited ______________________.

A 다음 〈보기〉에서 알맞은 접속사를 골라 문장을 완성하시오. (중복 가능)

보기	although	if	unless

1 The boys kept playing soccer ________________ it was raining.

2 ________________ you walk two blocks, you will find a post office.

3 ________________ you wear sunblock, you will get sunburn.

4 ________________ it isn't cloudy tonight, you may see many shooting stars.

5 You will get in trouble ________________ you finish the work today.

B 다음 주어진 문장을 괄호에 주어진 접속사를 이용하여 다시 쓰시오.

1 If you don't hurry up, you may miss the train. (unless)
→ ____

2 Running the marathon was tiring for her, but she ran the entire race. (although)
→ ____

3 You will fail unless you get a 70 on the test. (if)
→ ____

4 Mr. Park is very poor himself, but he helps many other poor people. (even though)
→ ____

5 It was snowing heavily, but we went hiking (though)
→ ____

C 다음 주어진 문장을 괄호 안의 조건대로 바꿔 쓰시오.

1 If you press this button, music will play. (명령문, and ~)
→ ____

2 Take this medicine, and your cold will improve. (if)
____

3 If you don't take an umbrella with you, you'll get wet in case of rain. (명령문, or ~)
→ ____

4 Go to bed now, or you will get up late tomorrow. (unless)
→ ____

WORKBOOK
Lesson 3

A 다음 〈보기〉에서 알맞은 말을 골라 문장을 완성하시오. (중복 불가)

보기	not only	both	either	but	neither

1 I'm not sad ______________ tired.

2 ______________ Tom or Mark will give me a ride.

3 The movie was ______________ touching nor boring.

4 Mr. Brown is ______________ rich but also generous.

5 She can speak ______________ Korean and English.

B 다음 우리말과 일치하도록 괄호에 주어진 말을 이용하여 문장을 완성하시오.

1 내 여동생뿐만 아니라 나도 파스타를 좋아한다. (I, well, my sister, like,)
→ ______________________________________ pasta.

2 그와 나는 둘 다 그 클럽에 관심이 없다. (interested)
→ ______________________________________ in the club.

3 Tom과 Peter는 둘 다 그 파티에 초대되었다. (be invited)
→ ______________________________________ to the party.

4 그가 그 일을 그만둔 것은 놀라웠다. (quit, the job)
→ ______________________________________ is very surprising.

5 나는 네가 음악을 사랑한다는 것을 안다. (love, music)
→ I know ______________________________________.

6 문제는 그가 아프다는 것이다. (he, ill)
→ The problem is ______________________________________.

C 다음 ⓐ~ⓒ의 빈칸에 들어갈 말을 쓰시오.

Jane: Why didn't you come to the reading club today? Did you either miss the bus or get sick?

Paul: I ⓐ __________ missed the bus ⓑ __________ got sick. I overslept this morning.

Jane: I know ⓒ __________ you sometimes forget to set your alarm.

Paul: I couldn't get up this morning even though my alarm rang. I was very tired because I played a video game until my father told me to stop doing it.

ⓐ ______________ ⓑ ______________ ⓒ ______________

MEMO

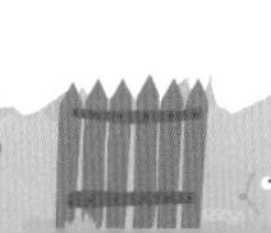

한번에 끝내는
중등 영문법

GRAMMAR 101

넥서스영어교육연구소 지음

Level 2

Answers

NEXUS Edu

한번에 끝내는
중등 영문법

GRAMMAR 101

Level 2

NEXUS Edu

CHAPTER 1
시제

Lesson 1
p.009

A 1 smell 2 is 3 were 4 had 5 was

B 1 is fixing 2 is having
3 was eating 4 was taking a bath

C 1 are, having 2 is, making
3 was, wrapping 4 was, driving

해석

A
1 그 빨간 장미들은 정말 향기로운 냄새가 난다.
2 그녀는 지금 낮잠을 자려고 자신의 침대에 누워 있다.
3 너는 어젯밤 열 시에 무엇을 하고 있었니?
4 10년 전에 우리는 큰 저택을 소유했었다.
5 Hannah는 어젯밤에 요리를 하다가 손가락을 뎄다.

B
1 A: Jacob은 차고에서 무엇을 하고 있니?
B: 그는 자신의 차를 수리하고 있어.
2 A: Brown 씨는 신문을 읽고 있니?
B: 아니, 그렇지 않아. 그는 커피를 마시고 있어.
3 A: 너는 그때 부엌에서 무엇을 하고 있었니?
B: 배가 고파서 간식을 먹고 있었어.
4 A: 너는 왜 내 전화를 받지 않았니? 어젯밤 너에게 두 번이나 전화를 했어.
B: 미안해, 네가 전화를 했을 때 나는 목욕을 하고 있었어.

Eng-Eng Voca nap(낮잠) burn(데다, 화상을 입히다) garage(차고)
wrap(포장하다) present(선물)

Lesson 2
p.011

A 1 forgotten 2 ridden 3 finished 4 blown

B
1 You have not[haven't] seen, Have you seen
2 She has not[hasn't] believed, Has she believed
3 Patrick has not[hasn't] been, Has Patrick been
4 They have not[haven't] visited, Have they visited

C 1 went 2 has lost 3 helped
4 hasn't spoken 5 did he say

해석

A
1 너는 내 생일을 잊은 거야?
2 나는 낙타를 세 번 타 보았다.
3 Joel은 막 자신의 두 번째 소설을 마쳤다.
4 일주일 동안 바람이 불지 않았다.

B
1 너는 그 영화를 본 적이 있다.
→ 너는 그 영화를 본 적이 없다.
→ 너는 그 영화를 본 적이 있니?
2 그녀는 유령의 존재를 믿고 있다.
→ 그녀는 유령의 존재를 믿지 않는다.
→ 그녀는 유령의 존재를 믿고 있니?
3 Patrick은 그때 이후로 거미를 무서워한다.
→ Patrick은 그때 이후로 거미를 무서워하지 않는다.
→ Patrick은 그때 이후로 거미를 무서워하니?
4 그들은 전에 베니스를 방문한 적이 있다.
→ 그들은 전에 베니스를 방문한 적이 없다.
→ 그들은 전에 베니스를 방문한 적이 있니?

C
1 Peter는 작년에 도쿄에 갔다.
2 그는 자동차 열쇠를 잃어버려서 지금은 그것을 가지고 있지 않다.
3 나는 어제 한 노부인이 가방을 드는 것을 도와드렸다.
4 우리가 싸운 이후로 그녀는 나에게 말을 하지 않는다.
5 그는 그때 무슨 말을 했니?

Eng-Eng Voca novel(소설) believe in(~을 믿다) visit(방문하다)
lose(분실하다) have a fight(싸우다)

Lesson 3
p.013

A 1 have known 2 have gone 3 has worked
4 has not[hasn't] finished 5 has lived

B 1 gone 2 gone 3 been 4 been

C 1 yet 2 since 3 for

해석

A
1 나는 Jacob을 오래 전에 만났다. 우리는 여전히 친구이다.
→ 나는 Jacob을 오랫동안 알고 지냈다.
2 그들은 작년에 뉴욕에 갔다. 지금 그들은 여기에 없다.
→ 그들은 뉴욕으로 가 버렸다.
3 Jake는 2012년에 기자로 일하기 시작했다. 그는 여전히 기자이다.
→ Jake는 2012년부터 기자로 일하고 있다.
4 그는 한 시간 전에 편지를 쓰기 시작했다. 그는 여전히 그것을 쓰고 있다.
→ 그는 편지 쓰는 것을 아직 끝마치지 못했다.
5 Ann은 더 이상 보스턴에 살지 않는다. 그녀는 지난달에 시애틀로 이사했다.
→ Ann은 지난달부터 시애틀에 살고 있다.

B 1 Grace는 지금 집에 없다. 그녀는 외출했다.
2 그는 지금 휴가 중이다. 그는 하와이로 가 버렸다.
3 Sam은 그 웨이터를 잘 안다. 그는 여기에 여러 번 왔었다.
4 나는 전에 한 번도 터키에 가본 적이 없다. 그래서 터키에 가게 되어 신이 난다.

C 1 A: Tom이 보이지 않아. 그는 어디 있니?
B: 그는 아직 집에 도착하지 않았어.
2 A: 얼마나 오랫동안 Dave가 아팠니?
B: 그는 지난 주말부터 아팠어.
3 A: 당신은 정말로 훌륭한 바이올린 연주자이시군요.
B: 감사해요. 저는 바이올린을 20년 동안 연주하고 있어요.

Eng-Eng Voca still(아직도) move(이사 가다) vacation(휴가, 방학) excited(신난) arrive(노착하다)

VOCA in Grammar

p.014

A 1 b 2 d 3 e 4 a 5 c

B 1 heard 2 known 3 cut 4 given 5 met

C 1 ever 2 for 3 since 4 yet 5 just

해석

A 1 낮잠 - b. 짧은 잠, 특히 낮 동안에
2 포장하다 - d. 어떤 것을 종이나 천으로 완전히 덮다
3 분실하다 - e. 찾을 수 없다
4 아직도 - a. 아직 끝나지 않은
5 도착하다 - c. 장소에 도착하다, 특히 여행 끝에

B 1 그의 새 노래를 들어 봤니?
2 그들은 서로 안 지 20년 되었다.
3 Seth는 방금 날카로운 칼에 손을 베었다.
4 Fred는 너에게 조언을 주었니?
5 Jack은 그가 10살이었을 때, Jill을 만났다.

C 1 이 이야기에 대해 들어 본 적 있니?
2 그들은 결혼한 지 10년 되었다.
3 나는 10살 때부터 체스를 했다.
4 Robin은 아직 공항에 도착하지 않았다.
5 그녀는 방금 새 기계를 발명했다.

CHAPTER 2
조동사

Lesson 1

p.017

A 1 (c) 2 (b) 3 (b) 4 (d) 5 (a) 6 (c)

B 1 They will be able to win the championship.
2 Are you able to hear my voice clearly?
3 Would you answer the phone for me?
4 He could[was able to] get to the concert hall in time.

C 1 cannot 2 Will he be able to 3 might

해석

A 1 내 부탁을 좀 들어줄래?
2 제가 이 바지를 입어 봐도 돼요?
3 제가 여기 당신 옆에 앉아도 되나요?
4 나는 이 무거운 상자들을 옮길 수 없다.
5 그는 내 남동생을 알지도 모른다.
6 저에게 물 한 잔 갖다 주시겠습니까?

B 1 그들은 선수권 대회에서 우승할 수 있다.
2 내 목소리가 분명하게 들리니?
3 나 대신에 전화를 받아줄래?
4 그는 제시간에 콘서트 홀에 갈 수 있다.

C 1 A: 너는 금요일까지 보고서를 끝낼 수 있니?
B: 아니, 끝낼 수 없어. 내 컴퓨터가 바이러스에 걸렸어.
2 A: 그가 그 시험에 통과할 수 있을까?
B: 모르겠어! 네 생각은 어때?
3 A: 너는 이번 여름휴가에 어디를 갈 생각이니?
B: 잘 모르겠어. 스페인에 갈지도 몰라.

Eng-Eng Voca try on(입어 보다) next to(~의 옆에) championship(선수권(대회)) voice(목소리) in time(제 시간에)

Lesson 2

p.019

A 1 shouldn't 2 must 3 should
4 don't have to 5 will have to 6 ought to

B 1 We shouldn't take the problem seriously.
2 You had to come back home before ten.
3 Miranda will have to go home and take a rest.

C 1 must 2 must not
3 don't have to 4 ought not to

해석

A 1 넌 담배를 피우면 안 돼. 그것은 네 건강에 나빠.
2 네가 일등을 했어. 너는 분명 정말 행복하겠구나.
3 Sarah는 치과에 가야 한다. 그녀에겐 충치가 있다.
4 우리는 코트를 벗을 필요가 없다. 우리는 곧 떠날 것이다.
5 우리 집은 정말 지저분하다. 나는 이번 주말에 집을 청소해야 한다.
6 너는 그에게 친절해야 한다. 그는 너의 반 친구이다.

B 1 우리는 그 문제를 심각하게 받아들여야 한다.
2 너는 열 시 전에 집에 들어와야 한다.
3 Miranda는 집에 가서 휴식을 취해야 한다.

Eng-Eng Voca cavity((치아에 생긴) 구멍) messy(지저분한) seriously(진지하게, 심각하게) take a rest(휴식을 취하다) report(보고서)

Lesson 3

p.021

A 1 would rather not 2 would like to study
3 had better not 4 used to make

B 1 used to 2 would like to
3 had better 4 would rather

C 1 used to be 2 would rather clean
3 had better not invite 4 Would you like to eat

해석

A 1 나는 차라리 그 사고에 대해서 말하지 않는 것이 낫겠다.
2 그녀는 대학에서 패션 디자인을 공부하고 싶어 한다.
3 너는 컴퓨터 게임을 너무 자주 하지 않는 것이 좋겠다.
4 Seth는 말썽을 많이 부렸었는데, 지금은 착한 소년이다.

B 1 A: 와, 이 호텔은 오래됐지만, 정말 근사해 보여.
B: 그것은 오래된 성이었어.
2 A: 너는 저녁으로 무엇을 원하니?
B: 저는 이탈리아 음식을 먹고 싶어요.
3 A: 너는 부모님이 걱정하시기 전에 전화를 하는 게 좋겠어.
B: 아, 잊고 있었어.
4 A: 너는 네 남동생을 영화 보러 데려가고 싶니?
B: 아니, 그와 시간을 보낼 바에는 차라리 수학을 공부하겠어.

Eng-Eng Voca incident(사건) design(도안, 설계) trouble(문제)
castle(성(城)) do the dishes(설거지를 하다)

VOCA in Grammar

p.022

A 1 can - be able to 2 had better not - shouldn't
3 must - have to 4 don't have to - don't need to
5 would like to - want to

B 1 cannot 2 shoudn't 3 would
4 work 5 not able to

C 1 ought to 2 Will 3 might
4 used to 5 must not

해석

B 1 문은 잠겨 있다. 그는 집에 있을 리가 없다.
2 너는 똑같은 실수를 되풀이하면 안돼. 이것은 네 마지막 기회야.
3 나는 차라리 그에게 도움을 요청하지 않는 편이 낫겠다.
4 Louise는 은행에서 일했었다.
5 그녀는 입학 시험에 통과할 수 없었다.

C 1 너는 병원에 가야 해. 너는 정말 안색이 안 좋아.
2 창문 좀 닫아주겠니? 밖에 바람이 분다.
3 오늘 오후에 비가 올 지도 몰라. 지금 무척 습해.
4 예전에 오래된 집이 있었는데, 지금은 병원이 있다.
5 밤에 늦게까지 깨어있으면 안돼. 너는 내일 수업이 있잖아.

CHAPTER 3
수동태

Lesson 1 p.025

A 1 closed 2 not invented
3 taken 4 designed

B 1 Fishermen catch fish.
2 Her room isn't cleaned by my sister.
3 Jessica held a party last Friday.
4 Is the president elected by the people?

C 1 were, taken 2 was, broken
3 Is, used 4 were, built

해석

A 1 문이 강한 바람에 의해서 닫혔다.
2 전구는 알베르트 아인슈타인에 의해 발명되지 않았다.
3 2백만 명 이상의 학생들이 SAT시험을 본다.
4 이 웹사이트는 일 년 전에 나의 형에 의해 디자인되었다.

B 1 고기는 어부에 의해 잡힌다.
2 나의 언니는 자신의 방을 청소하지 않는다.
3 지난주 금요일에 파티가 Jessica에 의해 열렸다.
4 국민들이 대통령을 선출하니?

C 1 A: 이 사진들은 어디에서 찍혔니?
B: 내가 밴쿠버 여행을 하는 동안 그것들을 찍은 거야.
2 A: 복도에 있는 거울은 누가 깨뜨렸니?
B: Jacob이 깼어요.
3 A: 필리핀에서는 중국어가 사용되나요?
B: 아니, 그렇지 않아요. 그들은 주로 영어와 타갈로그어를 사용해요.
4 A: 피라미드는 누구에 의해 지어졌니?
B: 고대 이집트인들이 지었는데, 어떤 사람들은 외계인이 만들었다고 얘기해.

Eng-Eng Voca heavy(강한, 격렬한) invent(발명하다) mainly(주로) ancient(고대의) alien(외계인)

Lesson 2 p.027

A 1 is being built 2 was fired
3 has been respected 4 will be made
5 are caused

B 1 been stung by a bee
2 was filled with gold coins
3 may be accepted

C 1 Milk should be kept
2 Christmas cards are being written
3 His homework has not been finished yet
4 This program can be used easily

해석

A 1 새 경기장이 지금 건설 되는 중이다.
2 어제 Daniel은 그의 상사에게 해고를 당했다.
3 간디는 오랫동안 사람들에게 존경을 받아왔다.
4 내일 판사에 의해 판결이 내려질 것이다.
5 매년 많은 사고가 음주 운전자에 의해 발생된다.

C 1 우리는 우유를 냉장고에 보관해야 한다.
2 Kathy는 크리스마스 카드를 쓰고 있다.
3 그는 자신의 숙제를 아직 끝내지 않았다.
4 누구라도 이 프로그램을 쉽게 사용할 수 있다.

Eng-Eng Voca fire(해고하다) respect(존경하다) judge(판사) cause(발생시키다) sting(찌르다, 쏘다)

VOCA in Grammar p.028

A 1 write - wrote - written 2 put - put - put
3 stop - stopped - stopped
4 begin - began - begun 5 take - took - taken

B 1 be served 2 washes 3 by
4 being 5 are spoken

C 1 taught 2 completed 3 grown
4 enjoyed 5 built

해석

B 1 저녁은 6시에 제공될 것이다.
2 Greg는 매주 그의 차를 세차한다.
3 그 수수께끼는 곧 Peter에 의해 풀릴 것이다.
4 내 고장 난 컴퓨터는 수리되는 중이다.
5 스위스에서 4개 국어가 사용된다.

C 1 대학에서 어떤 과목을 가르치니?
2 보고서는 다음주 월요일까지 끝낼 수 없다.
3 이 나무들은 우리 부모님이 키우고 있다.
4 그의 음악은 전 세계 사람들이 즐기고 있다.
5 에펠 탑은 기술자 Gustave Eiffel이 지었다.

CHAPTER 4
to부정사

Lesson 1 p.031

A 1 To travel 2 to write
3 to buy 4 to climb

B 1 To, play 2 to, have
3 to, cancel 4 to, major

C 1 when to 2 where to
3 how to 4 what to

해석

A 1 자전거로 여행하는 것은 정말 재미있다.
2 내 숙제는 에세이를 쓰는 것이다.
3 그녀는 신발 한 켤레를 사고 싶어 한다.
4 그녀의 계획은 세계에서 가장 높은 산을 오르는 것이다.

Eng-Eng Voca essay(에세이, 수필) farm(농장) decide(결정하다) major in(전공하다) economics(경제학)

Lesson 2 p.033

A 1 to talk to/with 2 your turn to throw
3 to live in 4 to stay 5 to help 6 to learn

B 1 to understand 2 to hear 3 to shout
4 to help 5 to say

C 1 friends, to, play, with
2 to, lose, my, puppy
3 to, return, some, books
4 grew, up, to, be

해석

A 1 나에게는 얘기를 나눌 사람이 아무도 없다.
2 네가 주사위를 던질 차례야.
3 모든 사람들은 살 집이 필요하다.
4 우리는 파리에서 머무를 호텔을 찾고 있다.
5 Tom은 엄마를 도와드리려고 설거지를 했다.
6 Emma는 새로운 단어를 배우기 위해 영어 소설을 자주 읽는다.

B 1 그의 모든 영화는 이해하기 어렵다.
2 나는 너로부터 다시 소식을 듣게 돼서 매우 기뻤다.
3 나의 부모님이 나에게 소리를 지르시다니 무척 화가 나신 게 틀림없어.
4 나에겐 이 숙제를 도와줄 누군가가 필요해.
5 나는 그저 "생일 축하해."라고 얘기하려고 전화를 했어.

Eng-Eng Voca throw(던지다) turn(차례) dice(주사위) shout(소리지르다) return(되돌려주다)

Lesson 3 p.035

A 1 It is difficult for me to park a car.
2 It is safe to ride a bike with a helmet.
3 It is an exciting experience to live in another country.

B 1 so busy that he couldn't have
2 so smart that she can refuse
3 so bright that I couldn't open
4 so big that it can hold

C 1 It is silly of her to believe him.
2 It was too cold to swim.
3 He is tall enough to be a basketball player.

해석

A 1 나에게 있어서 차를 주차하는 건 힘든 일이다.
2 헬멧을 쓰고 자전거를 타는 것이 안전하다.
3 다른 나라에서 사는 것은 재미있는 경험이다.

B 1 Tom은 너무 바빠서 점심을 먹을 수가 없었다.
2 그녀는 그 제안을 거절할 만큼 영리하다.
3 하늘이 너무 밝아서 눈을 뜰 수가 없었다.
4 그 방은 40명을 수용할 수 있을 만큼 넓다.

Eng-Eng Voca refuse(거절하다) offer(제안) hold(수용하다) helmet(헬멧) experience(경험)

VOCA in Grammar
p.036

A 1 b 2 d 3 e 4 a 5 c

B 1 what 2 not to 3 to join 4 It 5 on

C 1 so 2 order 3 enough
4 of 5 for

해석

A
1 결정하다 - b. 어떤 것에 대해 선택이나 판단을 내리다
2 희망하다 - d. 어떤 것이 일어나거나 사실이기를 바라다
3 허락하다 - e. 누군가가 어떤 것을 하거나 가지는 것을 허락하거나 어떤 일이 발생하는 것을 허용하다
4 동의하다 - a. 어떤 생각, 계획, 제안에 찬성하다
5 명령하다 - c. 누군가에게 어떤 일을 하라고 지시하다

B
1 나는 무슨 말을 해야 할지 몰랐다.
2 그는 다시는 늦지 않겠다고 약속했다.
3 그들은 대회에 참가하겠다고 합의했다.
4 일찍 일어나는 것은 좋은 습관이다.
5 우리는 앉을 의자가 없다.

C
1 그는 너무 어려서 그 영화를 볼 수 없다.
2 아버지는 뉴스를 보기 위해 텔레비전을 켰다.
3 그녀는 비행기를 살 만큼 충분히 부자이다.
4 그 숙녀를 도와주다니 당신은 친절합니다.
5 Dean이 그 일을 하는 것은 불가능하다.

CHAPTER 5
동명사

Lesson 1
p.039

A 1 taking 2 making 3 closing
4 playing 5 Eating

B 1 찾는 것 2 걷는 것[걷기] 3 만나는 것
4 닦지 않는 것 5 되는 것

C
1 He doesn't like cleaning.
2 I am sorry for making you wait.
3 My grandmother's hobby is knitting.
4 My goal is getting a perfect score in math.

해석

A
1 그녀의 취미는 사진을 찍는 것이다.
2 Debbie 이모는 머핀 만드는 것을 즐긴다.
3 창문을 닫아주시겠어요?
4 나의 형은 플루트를 잘 연주한다.
5 밤에 먹는 것은 건강에 좋지 않다.

B
1 Susie는 자신의 지갑을 찾는 것을 포기했다.
1 빗속을 걷는 것은 나를 기분 좋게 만든다.
2 Nick은 요즘 Allen을 만나는 것을 피하고 있다.
3 나의 가장 나쁜 버릇은 양치질을 매일 밤 안 하는 것이다.
4 그녀는 선생님이지만, 그녀의 꿈은 오페라 가수가 되는 것이었다.

Eng-Eng Voca hobby(취미) avoid(피하다) habit(습관) knit(뜨개질하다) goal(목표)

Lesson 2
p.041

A 1 going 2 to do 3 turning 4 going
5 to getting 6 smoking 7 preparing

B 1 to call 2 putting 3 putting 4 to give

C 1 making 2 to pick up 3 to solve

해석

A
1 그는 개 근처에 가는 것을 피했다.
2 나는 너를 위해서 최선을 다하겠다고 약속할게.
3 TV 좀 꺼 주시겠어요?
4 수영하러 해변에 가는 게 어때?
5 Joe는 아침에 일찍 일어나는 것에 익숙하다.
6 그는 작년에 자신의 건강을 위해 담배를 끊었다.
7 David는 취업 면접을 준비하느라 바쁘다.

C
1 더 이상 말도 안 되는 변명을 하지 마.
2 잊지 마. 네가 세탁물을 찾아와야 해.
3 Angela는 그 수학문제를 풀려고 애썼다.

Eng-Eng Voca give up(포기하다) prepare(준비하다) make an excuse(핑계를 대다) laundry(빨래) attempt(시도하다)

Lesson 3

p.043

A 1 exciting, excited 2 boring, bored
3 interesting, interested

B 1 standing 2 cooked 3 disappointed
4 fallen 5 written

C 1 동명사, 현재분사 2 동명사, 현재분사
3 현재분사, 동명사 4 현재분사, 동명사

해석

A 1 야구 경기를 보는 것은 언제나 흥미롭다.
아이들은 북극곰을 봐서 신이 났다.
2 영화가 길고 지루해서, 나는 계속해서 하품을 했다.
나는 너무 지루한데, 할 일이 없다.
3 그는 매일 밤 아들에게 재미있는 이야기를 해준다.
Isabelle는 어릴 때부터 수학에 관심이 있었다.

B 1 문에 서 있는 어린 소년이 Josh이다.
2 냉장고에 요리된 음식이 있다.
3 그의 팬들은 그의 새 앨범에 실망했다.
4 나의 아빠는 낙엽을 모아서 태웠다.
5 어제, 나는 일본어로 쓰여진 책 두 권을 샀다.

C 1 나는 겨울에 부츠 신는 것을 좋아한다.
치마를 입은 소녀를 봐.
2 그가 가장 좋아하는 취미는 낚시이다.
Tracy는 백화점에 가는 중이다.
3 동물원에 사는 많은 동물들이 있다.
내 남편은 거실에서 TV를 보고 있다.
4 나는 헤엄치는 돌고래를 보았는데 그건 굉장했다.
그 집에는 수영장, 정원, 그리고 테라스가 있었다.

Eng-Eng Voca yawn(하품하다) disappointing(실망스러운) gather(모으다) favorite(가장 좋아하는) living room(거실)

VOCA in Grammar

p.044

A 1 d 2 a 3 e 4 b 5 c

B 1 disappointed 2 built 3 drawing
4 surprised 5 bored

C 1 help 2 feel 3 spend
4 keep 5 look

해석

A 1 피하다 - d. 어떤 나쁜 일이 발생하는 것을 막다
2 즐기다 - a. 어떤 것에서 즐거움을 얻다
3 미루다 - e. 원래 계획이나 예상보다 나중에 발생하도록 만들다
4 포기하다 - b. 하던 일, 특히 지속적으로 하던 일을 멈추다
5 꺼리다 - c. 무언가에 대해 화가 나거나 안 좋은 감정을 느끼다.

B 1 그 학생은 자신의 성적에 실망했다.
2 그 집은 10년 전에 지어졌다.
3 그 남자는 지금 그림을 그리고 있다.
4 사람들은 그 소식에 놀랐다.
5 나는 역사 수업이 지루하다.

C 1 나는 계속 네가 생각난다.
2 너는 무엇을 하고 싶니?
3 Kate와 Ashley는 옷을 사는데 매우 많은 돈을 쓴다.
4 내 개는 학교까지 계속 따라온다.
5 나는 너를 다시 만나기를 고대한다.

CHAPTER 6
명사와 대명사

Lesson 1

p.047

A 1 sugars → sugar
2 animal → animals / an animal
3 teas → tea 4 a Spain → Spain
5 a ten-years-old boy → a ten-year-old-boy
6 a pair of scissor → a pair of scissors
7 are → is

B 1 cup 2 pieces 3 bowl 4 loaves

C 1 Money can't buy love.
2 We have a lot of snow in winter.
/ In winter, we have a lot of snow.
3 No news is good news.
4 Can I borrow a pair of socks?

해석

A 1 커피에 설탕을 넣어 드릴까요?
2 Clare는 동물을 사랑하며, 그녀가 가장 좋아하는 동물은 호랑이이다.
3 나는 저녁 식사 후에 항상 녹차 두 잔을 마신다.
4 스페인의 마드리드에는 아름다운 건물들이 많다.
5 어떻게 열 살짜리 소년이 3개 국어를 할 수 있니?

6 나는 종이를 자를 가위 하나가 필요해.

7 수학은 배우기 재미있는 과목이다.

B 1 커피 한 잔을 마실 수 있을까요?

2 그는 초콜릿 케이크 여섯 조각을 먹었다.

3 그녀는 아침에 항상 시리얼 한 그릇을 먹는다.

4 빵을 세 개 만들려면 밀가루가 얼마나 필요할까요?

Eng-Eng Voca building(건물) language(언어) subject(과목) loaf(빵 한 덩어리) sock(양말)

Lesson 2

p.049

A 1 children's 2 two hours' 3 the end of the movie 4 yourself 5 himself 6 myself 7 myself

B 1 himself 2 themselves 3 Parents' Day

C 1 today's newspaper
2 built a garage by himself
3 calls himself
4 taught herself

해석

A 1 그 작가는 어린이 책들을 많이 썼다.

2 여기서 공원까지 걸어서 두 시간이다.

3 나의 어머니는 영화가 끝날 때까지 계속 우셨다.

4 Tommy야, 몸조심해!

5 Jason은 정말 즐거운 시간을 보냈다.

6 어젯밤 내가 직접 그 자동차 사고를 목격했다.

7 나는 거울 속의 나 자신을 보며 머리를 빗었다.

Eng-Eng Voca end(끝) take care of(돌보다) trip(여행) accident(사고) comb(빗다)

Lesson 3

p.051

A 1 One 2 it 3 one 4 another 5 ones 6 others

B 1 one 2 the other 3 the others

C 1 the others 2 one 3 the others 4 the other

해석

A 1 사람들은 법을 어겨서는 안 된다.

4 이것이 네 휴대 전화니? 내가 그것을 써도 될까?

3 네가 우산이 필요하면 내가 너에게 우산을 빌려줄게.

4 이 셔츠 너무 꽉 껴요. 다른 것을 입어 봐도 될까요?

5 그녀는 파란색 펜밖에 없어서 빨간색 펜을 사고 싶어 한다.

6 어떤 사람들은 핫초코를 좋아하고, 또 다른 사람들은 커피를 좋아한다.

B 1 A: 너는 언제 내 스웨터를 돌려줄 거니?
B: 미안해, 그것을 잃어버렸어. 너에게 새 것을 하나 사줄게.

2 A: Sally야, 너는 애완동물을 몇 마리를 키우고 있니?
B: 나에게 애완동물 두 마리가 있어. 하나는 뱀이고, 다른 하나는 돼지야.

3 A: Helen 씨, 자녀분이 몇 명이시죠?
B: 아들이 네 명 있어요. 한 명은 치과의사이고, 나머지 모두는 대학생이에요.

Eng-Eng Voca dentist(치과의사) college(대학) stand(서다, 서 있다) different(다른) dessert(후식)

Lesson 4

p.053

A 1 either 2 no 3 neither 4 both

B 1 have 2 anything 3 room has 4 Both 5 Some

C 1 each basketball team
2 both of them were too short/both were too short
3 I had no money/I didn't have any money

해석

A 1 A: 당신은 커피나 차 둘 중 하나를 드실 수 있어요.
B: 차 마실게요.

2 A: 이번 주 금요일에 너는 댄스파티에 갈 거니?
B: 아니, 갈 수 없어. 나는 같이 갈 파트너가 없어.

3 A: Tom과 John은 그 문제에 대해서 다르게 생각해. 어느 의견에 찬성하니?
B: 나는 두 사람의 의견 모두에 동의하지 않아. 나는 나만의 의견이 있어.

4 A: 너는 이 근처에 아는 좋은 식당이 있니?
B: 두 곳이 있는데, 두 곳 모두 매우 좋아.

B
1 모든 집에는 문이 있다.
2 난 너에게 숨기는 것이 전혀 없다.
3 모든 호텔 방에는 욕조와 화장실이 있다.
4 그는 두 채의 집이 있다. 그것들 둘 다 크고, 아름답다.
5 어떤 사람들은 아침으로 시리얼을 먹는다.

Eng-Eng Voca partner(파트너, 상대) issue(문제, 쟁점) opinion(의견) toilet(변기, 화장실) player(선수)

VOCA in Grammar

p.054

A 1 b 2 c 3 d 4 a 5 e

B 1 the book 2 myself 3 doesn't come 4 bottles 5 glass

C 1 Each 2 All 3 another 4 the other 5 one

해석

A
1 비난하다 - b. 누군가가 어떤 나쁜 일에 책임이 있다고 말하다
2 울타리 - c. 한 구역의 땅을 둘러싼 나무로 만들어진 구조물
3 벙어리장갑 - d. 손가락이 분리되지 않은 장갑
4 약속하다 - a. 누군가에게 어떤 일을 반드시 하겠다고 말하다
5 꽃병 - e. 장식을 위해서 꽃을 꽂아두는 용기

B
1 나는 그 책의 제목이 생각나지 않는다.
2 나는 복도에서 혼자 앉아 있었다.
3 진정한 행복은 돈에서 오지 않는다.
4 그는 내 생일 파티에 두 병의 콜라를 가져왔다.
5 나에게 물 한 잔 가져다 줄래?

C
1 그 소녀들은 각자 자신의 방이 있다.
2 그 학생들은 전부 귀가했다.
3 나는 이 셔츠가 마음에 안 들어. 다른 것을 보여줄래?
4 나는 강아지 두 마리가 있어. 하나는 흰색, 다른 하나는 갈색이야.
5 나는 그의 휴대폰을 망가뜨려서 그에게 새것을 사주겠다고 약속했다.

CHAPTER 7
형용사와 부사 & 비교

Lesson 1

p.057

A 1 doesn't → don't 2 drunken → drunk 3 is → are 4 live → alive 5 sleeping → asleep

B 1 stupidly 2 friendly 3 silly 4 nicely

C 1 참석했다 2 특정 시간에만 3 청각 장애인들은 4 강한 사람들에게는, 약한 사람들에게는 5 돌아가신 그의

해석

A
1 노숙자들은 살 곳이 없다.
2 그는 술에 취해서 차를 운전할 수 없었다.
3 사람들은 종종 젊은 사람들은 변화를 받아들이는 데 빠르다고 생각한다.
4 그 생선은 심지어 반으로 잘렸을 때도 살아 있었다.
5 나는 너무 피곤해서 강의 시간에 잠이 들었다.

B
1 Fiona는 어리석게도 버스를 잘못 탔다.
2 Greg 의사 선생님은 자신의 모든 환자들에게 친절하다.
3 내가 그의 말을 믿다니 너무 어리석었어.
4 그는 친절하게 내가 묵을 곳을 찾는 것을 도와주었다.

Eng-Eng Voca accept(받아들이다) lecture(강의) patient(환자) deaf(귀가 먼) fortune(재산, 부)

Lesson 2

p.059

A 1 lately 2 high 3 hard 4 Nearly 5 such

B 1 politely 2 early 3 high 4 late 5 fast 6 long

C 1 so, clear 2 so, glad 3 such, a, sweet 4 such, a, good

해석

A
1 너는 최근에 Collins 씨를 만난 적 있니?
2 많은 연이 하늘 높이 날고 있었다.
3 Roger는 열심히 공부했고 좋은 성적을 얻었다.
4 거의 백 명의 사람들이 줄을 서서 기다리고 있었다.
5 Jenny는 매우 사랑스러운 소녀이며, 모든 사람들이 그녀를 좋아한다.

B 1 Amanda는 항상 예의 바르게 말한다.
2 좋은 좌석을 얻으려면 일찍 오세요.
3 Kelly는 천장에 닿을 정도로 높이 뛰었다.
4 Arnold는 어젯밤 늦게까지 사무실에 있어야만 했다.
5 그녀는 매우 빨리 운전해서 속도위반 딱지를 뗐다.
6 Jacob은 그녀를 오랫동안 기다렸지만, 그녀는 결코 돌아오지 않았다.

Eng-Eng Voca grade(성적) polite(공손한) office(사무실) speeding ticket(속도위반 딱지) glad(기쁜, 반가운)

Lesson 3

p.061

A 1 mine[my room] 2 many 3 as 4 difficult
5 earlier 6 much[a lot / far / even / still]

B 1 faster / as[so], fast, as 2 better / as[so], well, as
3 taller / as[so], tall, as

C 1 much[a lot/far/still/even] stronger than I (am)
2 less crowded than
3 much[a lot/far/still/even] better
4 as generous as

해석

A 1 그의 방은 내 방보다 훨씬 넓다.
2 나의 언니는 나만큼 책을 많이 읽는다.
3 David는 Charles만큼 잘 생기지 않았다.
4 이 프로젝트는 지난번 것보다 덜 어렵다.
5 경기는 내가 예상했던 것보다 일찍 끝났다.
6 올해는 작년보다 눈이 훨씬 더 많이 내린다.

B 1 나는 100미터를 12초에 뛴다. Dean은 100미터를 14초에 뛴다.
→ 나는 Dean보다 빨리 뛴다.
→ Dean은 나만큼 빨리 뛰지 않는다.
2 Lucy는 시험에서 100점을 맞았다. Jenny는 시험에서 90점을 받았다.
→ Lucy는 Jenny보다 더 좋은 점수를 받았다.
→ Jenny는 Lucy만큼 좋은 점수를 받지 못했다.
3 교회는 높이가 20미터이다. 은행은 높이가 30미터이다.
→ 은행은 교회보다 높다.
→ 교회는 은행보다 높지 않다.

Eng-Eng Voca expect(기대하다) second(초) score(점수를 얻다) crowded(혼잡한) generous(관대한)

Lesson 4

p.063

A 1 the kindest 2 the most delicious
3 more expensive 4 the largest
5 the greatest

B 1 youngest 2 smaller, smaller
3 earlier

C 1 scarier than any other animal
2 stronger than any other boy in my neighborhood
3 bigger than any other room in the house

해석

A 1 Mark는 내 모든 친구 중에서 가장 친절한 사람이다.
2 엄마는 마을에서 가장 맛있는 브라우니를 만든다.
3 이것과 저것 중 어느 것이 더 비싼가요?
4 태평양은 세계에서 가장 넓은 대양이다.
5 나는 아인슈타인이 역대 가장 위대한 과학자 중 하나라고 생각해.

B 1 A: Dave는 네 오빠니?
B: 아니, 그는 우리 가족의 막내야.
2 A: 세계가 점점 작아지고 있어.
B: 맞아. 너는 전 세계의 친구들과 연락을 할 수 있어.
3 A: Nancy와 Emily 중 누가 결승선을 먼저 통과했니?
B: 확실히 모르겠어. 막상막하였거든.

C 〈보기〉 Dylan은 학교에서 가장 키가 큰 소년이다.
→ Dylan은 학교에서 다른 어떤 소년보다 키가 크다.
1 나는 뱀이 가장 무서운 동물이라고 생각한다.
→ 나는 뱀이 다른 어떤 동물보다 무섭다고 생각한다.
2 Joshua는 이웃에서 가장 힘이 센 소년이다.
→ Joshua는 이웃에서 다른 어떤 소년보다 힘이 세다.
3 집에서 우리 아버지의 서재가 가장 큰 방이다.
→ 집에서 우리 아버지의 서재가 다른 어떤 방보다 크다.

Eng-Eng Voca get in touch with(~와 연락하다) neck and neck(막상막하) scary(무서운) neighborhood(이웃, 근처) study(서재, 공부방)

VOCA in Grammar

p.064

A 1 a 2 e 3 b 4 c 5 d

B 1 such 2 so 3 lately
4 hardly 5 near

C 1 brightest 2 a lot 3 comfortable
4 faster 5 one

해석

A
1 깨어있는 - a. 잠이 들지 않은
2 추운 - e. 불편할 정도로 기온이 낮은
3 편안한 - b. 신체적으로 이완되게 만드는
4 인기 있는 - c. 많은 사람들이 좋아하는
5 입이 가벼운 사람 - d. 비밀을 지킬 것이라는 믿음이 가지 않는 사람

B
1 날씨가 매우 좋은 날이다.
2 William은 늘 빨리 말한다.
3 최근에 Phillip 씨를 본 적이 있니?
4 그녀는 누구에게도 좀처럼 노여워하지 않는다.
5 Sam의 집은 해변과 매우 가깝다.

C
1 하늘에서 가장 밝은 별은 무엇이니?
2 그는 나이에 비해 젊어 보인다.
3 내 새 침대는 예전 것만큼 편하지 않다.
4 대나무는 은행나무보다 빨리 자란다.
5 그녀는 우리 반에서 성격이 가장 좋은 학생 중 한 명이다.

CHAPTER 8
가정법

Lesson 1

p.067

A 1 won 2 came 3 would 4 had 5 were

B
1 didn't, have, would
2 would, not, take, had
3 had, could, go
4 could, call, knew

C
1 am / not, am / not
2 don't / have / I cannot buy the mansion,
don't / have / I cannot buy the mansion
3 doesn't / have / she cannot stay longer,
doesn't / have / she cannot stay longer

해석

A
1 내가 복권에 당첨되면 나는 부자가 될 텐데.
2 내 친구들이 오면 나는 정말 기쁠 텐데.
3 나에게 많은 돈이 있다면 큰 집을 살 텐데.
4 너에게 백만 달러가 있다면 넌 무엇을 하고 싶니?
5 물이 없다면 지구에는 생물이 전혀 존재하지 않을 것이다.

C
1 내가 성인이라면 그 영화를 볼 수 있을 텐데.
→ 내가 성인이 아니기 때문에 그 영화를 볼 수 없다.
→ 나는 성인이 아니라서 그 영화를 볼 수 없다.
2 내가 돈이 많다면 나는 그 대저택을 살 수 있을 텐데.
→ 나는 돈이 많지 않기 때문에 그 대저택을 살 수 없다.
→ 나는 돈이 많지 않아서 그 대저택을 살 수 없다.
3 그녀에게 시간이 더 있다면 더 오래 머무를 텐데.
→ 그녀는 더 이상 시간이 없기 때문에 더 오래 머무를 수가 없다.
→ 그녀는 더 이상 시간이 없어서 더 오래 머무를 수가 없다.

Eng-Eng Voca lottery(복권) million(백만) dollar(달러) adult(성인) mansion(대저택)

Lesson 2

p.069

A 1 날씨가 좋다면 우리는 산책하러 갈 수 있을 텐데.
날씨가 좋으면 우리는 산책하러 갈 것이다.

2 Jack이 그녀의 생일을 잊으면 그녀는 화를 낼 것이다.
Jack이 그녀의 생일을 잊는다면 그녀는 화를 낼 텐데.

3 뉴욕에서 클리블랜드까지 운전을 하면 너는 무척 피곤할 것이다.
뉴욕에서 클리블랜드까지 운전을 한다면 너는 무척 피곤할 텐데.

B 1 had 2 would, travel 3 will, do
4 would, keep / would, give

C 1 she is not my wife
2 I can't play the flute well
3 he knows my secret

해석

A 1 날씨가 좋다면 우리가 산책하러 갈 수 있을 텐데.
날씨가 좋으면 우리는 산책하러 갈 것이다.

2 Jack이 그녀의 생일을 잊으면 그녀는 화를 낼 것이다.
Jack이 그녀의 생일을 잊는다면 그녀는 화를 낼 텐데.

3 뉴욕에서 클리블랜드까지 운전하면 너는 무척 피곤할 것이다.
뉴욕에서 클리블랜드까지 운전한다면 너는 무척 피곤할 텐데.

B 1 A: 너 Susan과 말다툼했지, 그러지 않니?
B: 응, 맞아. 그녀에게 사과할 수 있는 용기가 나에게 있었으면 좋겠어.

2 A: 타임머신이 있다면 너는 무엇을 하고 싶니?
B: 나는 시간을 거슬러 여행할 수 있을 텐데.

3 A: 일찍 끝나면 뭐 할 거야?
B: 쇼핑하러 갈 거야.

4 A: 길에서 지갑을 주우면 너는 그것을 가질 거니?
B: 아니, 경찰에게 갖다 줄 거야.

C 1 그녀가 내 아내라면 좋을 텐데.
→ 그녀가 내 아내가 아니라서 유감이다.

2 내가 플루트를 잘 불 수 있으면 좋을 텐데.
→ 내가 플루트를 잘 불 수 없어서 유감이다.

3 그가 내 비밀을 모른다면 좋을 텐데.
→ 그가 내 비밀을 알고 있어서 유감이다.

Eng-Eng Voca argue(논쟁하다) courage(용기) apologize(사과하다)
police(경찰) secret(비밀)

VOCA in Grammar

p.070

A 1 b 2 a 3 c 4 d 5 e

B 1 were 2 would be 3 would treat
4 won 5 know

C 1 wish 2 were 3 stopped
4 would 5 If

해석

A 1 용서하다 - b. 누군가에게서 노여움을 거두다
2 외로운 - a. 혼자라서 불행한
3 대하다 - c. 누군가나 어떤 것에 대해 특정한 방식으로 행동하다
4 정직한 - d. 진실을 숨기지 않는
5 디저트 - e. 식사가 끝난 후 제공되는 단 음식

B 1 내가 너라면 그를 용서할 거야.
2 내가 친구가 없었다면 나는 매우 외로웠을 거야.
3 네가 그녀에게 정직하다면, 그녀는 너를 잘 대해줄 텐데.
4 네가 복권에 당첨된다면 무엇을 하겠니?
5 네가 그녀를 안다면, 가서 그녀에게 말해 봐.

C 1 나에게 형이 있으면 좋을 텐데.
2 내가 다시 젊어진다면 좋을 텐데.
3 비가 그치면 우리는 산보하러 갈 수 있을 텐데.
4 네가 그를 알았다면, 너는 그에게 가서 말을 할 텐데.
5 내가 시험에 통과하면 나는 행복할 거야.

CHAPTER 9
관계사

Lesson 1
p.073

A 1 are → is　2 whose → who/that
3 whom → which/that　4 whose → which/that
5 which → who/that　6 take → takes

B 1 the squirrel which[that]
2 a blue sweater which[that]
3 the man who[that]

C 1 The cup which is on the desk is my brother's.
2 A doctor is a person who takes care of sick people.
3 He has a dog that eats spinach.

해석

A 1 나는 수업에 늦는 학생을 좋아하지 않는다.
2 소파에서 자고 있는 그 소년은 내 사촌이다.
3 Mike는 탁자 위에 있었던 반지를 찾을 수가 없다.
4 Bill은 눈으로 덮인 산으로 갔다.
5 Thompson 씨는 뛰어난 바이올린 연주가인 딸이 하나 있다.
6 우리 선생님은 항상 시간이 오래 걸리는 숙제를 내 주신다.

B 1 다람쥐를 봐. +그것은 저쪽으로 달려가고 있어.
→ 저쪽으로 달려가고 있는 다람쥐를 봐.
2 David는 파란색 스웨터를 입고 있다.+그것은 그에게는 너무 작다.
→ David는 그에게는 너무 작은 파란색 스웨터를 입고 있다.
3 나는 종종 그 남자를 만난다.+그는 공원에서 조깅을 한다.
→ 나는 공원에서 조깅을 하는 남자를 종종 만난다.

Eng-Eng Voca be late for(늦다) cousin(사촌) finish(끝내다) squirrel(다람쥐) spinach(시금치)

Lesson 2
p.075

A 1 which → who(m)/that
2 is → are
3 who → which/that
4 whose → who(m)/that
5 whom → whose
6 which → who(m)/that

B 1 ○　2 ○　3 ×　4 ○　5 ×

C 1 my textbook which I lost in the classroom
2 the subject which Kelly likes most
3 three friends whom I have known
4 the girl whom I introduced to you

해석

A 1 Matt는 내가 많이 좋아하는 유명한 배우이다.
2 내가 신고 있는 운동화는 정말 편하다.
3 나는 나의 아버지께서 나에게 보내주신 크리스마스 카드를 읽었다.
4 내가 사랑했던 그 남자는 정말 친절하고 재미있었다.
5 Ann은 생일이 크리스마스인 내 친구이다.
6 너는 네가 도서관에서 본 그 소년을 아니?

B 1 Jason은 Eric과 얘기를 나누는 그 여인을 바라보았다.
2 Robert는 내가 아는 가장 똑똑한 남자이다.
3 나에겐 차를 매우 잘 고치는 친구가 있다.
4 우리가 점심으로 먹은 스파게티는 약간 매웠다.
5 Catherine은 그녀에게 너무 큰 재킷을 입고 있었다.

Eng-Eng Voca sneaker(운동화) gentle(온화한, 친절한) humorous(재미있는, 해학적인) spicy(향이 강한, 매운) textbook(교과서)

Lesson 3
p.077

A 1 when　2 how　3 where　4 why

B 1 where　2 the way 또는 how 삭제　3 why
4 when　5 why　6 where

C 1 Saturday is the day when we play baseball.
2 The hotel where we stayed was near the beach.
3 Do you know the reason why Jane cried this morning?

해석

A 1 Edward는 Mary가 여기에 도착한 날을 기억한다.
2 네가 어떻게 이 십자 낱말 퍼즐을 풀었는지 얘기해 줄 수 있니?
3 우리가 일하게 될 사무실을 둘러봅시다.
4 나는 아직도 어머니가 그렇게 화가 난 이유를 모른다.

B 1 이곳이 그들이 영화를 보곤 했던 극장이다.
2 Miranda는 그녀가 어떻게 중국어를 배웠는지 얘기해 주었다.
3 나는 회의가 취소된 이유를 모른다.
4 나는 내 아들이 중학교에 입학하던 날을 잊을 수 없다.
5 그녀가 그렇게 일찍 떠난 이유를 나에게 얘기해 줄래?
6 내가 태어난 도시에는 산이 많다.

Eng-Eng Voca solve(풀다, 해결하다) reason(이유) angry(화난)
theater(극장) cry(울다)

VOCA in Grammar
p.078

A 1 b 2 c 3 a 4 d 5 e

B 1 who 2 which 3 whose
4 whom 5 whose

C 1 how[the way] 2 where 3 why
4 how[the way] 5 when

해석

A 1 지붕 - b. 건물 꼭대기를 덮거나 꼭대기를 이루는 구조물
2 소설 - c. 가공 인물들과 사건들에 관한 책이나 이야기
3 애완동물 - a. 집에서 기르는 개나 고양이 같은 동물
4 급우 - d. 학교 내의 같은 반 구성원
5 사원 - e. 사람들이 예배를 보는 건물

B 1 나는 아일랜드 출신의 여성을 알고 있다.
2 소파에 있는 로봇은 내 남동생 것이다.
3 그는 머리가 긴 여성을 만났다.
4 그녀가 매우 사랑했던 남성은 지난주 미국으로 떠났다.
5 우리는 지붕이 빨간색으로 페인트칠된 집을 보았다.

C 1 이것이 내가 그 시험에 쉽게 합격했던 방법이다.
2 Kathy는 그녀가 살던 마을을 그리워했다.
3 나는 그녀가 여기에 오지 않은 이유를 모르겠다.
4 그녀는 나에게 보고서를 시간 내에 끝낸 방법을 말했다.
5 우리 조부모님은 전쟁이 일어난 날을 기억한다.

CHAPTER 10
접속사

Lesson 1
p.081

A 1 because 2 after 3 until
4 since 5 Before

B 1 will get → get 2 will come → comes
3 because of → because 4 because → since

C 1 since 2 until
3 while 4 because/since/as

해석

A 1 너무 어두웠기 때문에 나는 아무것도 볼 수가 없었다.
2 나는 저녁을 먹고 나서 디저트로 아이스크림을 먹었다.
3 너는 살이 빠질 때까지 계속해서 운동을 해야 한다.
4 Chandler는 일본에 온 이후로 유도를 배우고 있다.
5 자기 전에 이를 닦고 세수를 해라.

B 1 내가 공항에 도착하면 너에게 전화를 할게.
2 그가 돌아올 때까지 그를 기다리자!
3 매우 추워서 나는 두꺼운 코트를 입고 있다.
4 James는 10살 때부터 한국에 살았다.

Eng-Eng Voca exercise(운동하다) lose weight(살을 빼다) brush(솔질하다) thick(두꺼운) thief(도둑)

Lesson 2
p.083

A 1 will be → is 2 unless → if
3 or → and
4 unless → if 또는 don't wear → wear
5 Even though, but 둘 중 하나 삭제

B 1 and 2 Even, though / but 3 If, don't / or

C 1 even though she is skinny
2 although I had homework to do
3 Although I invited John to my birthday party

해석

A 1 날씨가 화창하면, 나는 수영하러 갈 거야.
2 네가 나에게 돈을 빌려주면 나는 그것을 살 것이다.
3 예의 바르게 행동해라, 그러면 네 친구들이 너를 다시 좋아할 것이다.

4 네가 네 코트를 입지 않으면 내가 그것을 입어도 될까?
5 내가 히터를 틀었는데도 불구하고 여기는 아직 춥다.

B 1 네가 공부를 열심히 하면 너는 그 시험에 통과할 것이다.
= 열심히 공부해라, 그러면 너는 그 시험에 통과할 것이다.
2 쇼핑몰이 우리 집에서 가까움에도 불구하고 나는 택시를 탔다.
= 쇼핑몰이 우리 집에서 가까움에도 불구하고 나는 택시를 탔다.
= 쇼핑몰이 우리 집에서 가깝지만, 나는 택시를 탔다.
3 지금 일어나지 않으면 너는 학교에 지각할 것이다.
= 지금 일어나지 않으면 너는 학교에 지각할 것이다.
= 지금 일어나라, 그렇지 않으면 너는 학교에 지각할 것이다.

Eng-Eng Voca lend(빌려주다) heater(난방장치) mall(쇼핑몰) skinny(마른) invite(초대하다)

Lesson 3

p.085

A 1 not 2 neither 3 practice 4 was
5 baseball 6 either

B 1 that(That) 2 neither(Neither)
3 both 4 either

C 1 are → is 2 are → is 3 have → has
4 is → are 5 are → is

해석

A 1 Ben은 열네 살이 아니라 열다섯 살이다.
2 나는 청바지와 블랙진 둘 다 좋아하지 않는다.
3 나와 내 여동생 둘 다 태권도를 연습한다.
4 뭉크뿐만 아니라 반 고흐도 위대한 화가이다.
5 그는 농구와 야구 둘 다 잘한다.
6 Paul은 휴가로 마이애미나 하와이 두 곳 중 한 곳에 갈 것이다.

B 1 나는 가격이 곧 오를 거라고 예상한다.
네가 영어를 잘한다는 것은 놀랍다.
2 그녀는 선생님과 변호사 둘 다 되고 싶지 않다.
우리 엄마와 나는 둘 다 일본어를 말하지 못한다.
3 Martha는 똑똑하고 예쁘다.
로마는 그곳의 아름다움과 역사로 유명하다.
4 그들은 햄버거와 피자 둘 중 하나를 제공할 것이다.
너는 노트북과 탁상용 컴퓨터 둘 중 하나를 사용할 수 있다.

C 1 너뿐만 아니라 Brenda도 나의 좋은 친구이다.
2 Jim과 Karen이 데이트한다는 것은 단지 소문일 뿐이다.
3 나와 내 여동생은 둘 다 운전 면허증이 없다.
4 Mike와 John 둘 다 축구를 잘한다.
5 그들이 영화배우라는 것이 믿어지지 않는다.

Eng-Eng Voca surprising(놀라운) laptop(노트북 컴퓨터) rumor(소문) driver's license(운전면허증) unbelievable(믿을 수 없는)

VOCA in Grammar

p.086

A 1 b 2 c 3 e 4 a 5 d

B 1 while 2 since 3 If 4 and 5 Although

C 1 Neither 2 that 3 but also
4 Both 5 either

해석

A 1 은행 - b. 돈을 보관하거나 빌려주는 사업체
2 대학졸업생 - c. 대학 학위를 마친 사람
3 도착하다 - e. 목적지에 도달하다
4 두통 - a. 머리의 통증
5 마른 - d. 보기 안 좋을 정도로 매우 마른

B 1 우리가 커피를 마시고 있을 때 Eve가 도착했다.
2 나는 10살때부터 오사카에 살았다.
3 내가 다시 해외로 나가면 사진을 많이 찍을 것이다.
4 지금 나가면 마지막 열차를 탈 수 있을 것이다.
5 그녀는 많이 먹지만 매우 말랐다.

C 1 우리 삼촌도 작은엄마도 서울에 살지 않는다.
2 문제는 네가 최선을 다하지 않는다는 것이다.
3 Jessica 뿐만 아니라 나도 런던에서 공부하고 있다.
4 그의 누나와 남동생 둘 다 대학생이다.
5 너는 디저트로 아이스크림이나 케이크를 먹을 수 있다.

WORKBOOK

Lesson 1 chapter 1 p.088

A 1 were reading 2 was taking 3 is raining
4 am writing 5 are, looking

B 1 am washing 2 was playing 3 are watching
4 was taking

C 1 it was snowing
2 What were you doing
3 Bill and Grace were having dinner
4 These flowers smell
5 This textbook belongs to

Lesson 2 chapter 1 p.089

A 1 have arrived 2 have been 3 has tried
4 has left 5 have decided 6 has done

B 1 hasn't, been 2 have, never, tried
3 haven't, seen 4 hasn't, finished
5 Have, met 6 Have, done
7 Has, seen 8 How, long, have, been

C 1 was 2 have been, met 3 lost
4 has disappeared 5 moved, has lived
6 started 7 has been 8 was

Lesson 3 chapter 1 p.090

A 1 have, forgotten
2 has, worked
3 have, gone

B 1 has not returned yet
2 has never met
3 have already signed up for
4 have lived, since 2012

C 1 ⓐ written ⓑ finished ⓒ done
2 How many books have you written so far?

Lesson 1 chapter 2 p.091

A 1 Can[May] I turn off
2 Can you stand
3 Can you help
4 Can[May] I ask

B 1 Can[May] 2 may[can] 3 Will[Can] 4 Will

C 1 May[Can] I have your attention?
2 He may[might] not be at the meeting.
3 You may[can] have a look at the photo.
4 Will[Would, Can] you give me some coffee?

Lesson 2 chapter 2 p.092

A 1 must[may] not feed
2 must be
3 don't have to worry
4 will have to study

B 1 They ought to respect the elderly.
2 He ought to follow my advice.
3 I ought not to break the law.
4 You ought not to overwork.

C 1 must be good at singing
2 doesn't have to wait here
3 must not drive too fast
4 You ought to be careful

Lesson 3 chapter 2 p.093

A 1 He used to live in Jejudo.
2 I would like to audition for the new movie.
3 You had better not follow his advice.
4 We had better finish our project by this week.

B 1 would rather take
2 would rather not go

3 would rather stay inside than go out
4 would rather take a taxi than take the subway

C ⓐ I would like to watch it, too!
ⓐ I'd better not read them

Lesson 1 chapter 3 p.094

A 1 is loved by many children
2 were asked by Ryan
3 was prepared by the chef
4 are surrounded by tall mountains

B 1 *David* was sculpted by Michelangelo.
2 The letters were not mailed by Jean.
3 Was Marian invited to the party by Danny?
4 When were the packages delivered (by them)?

C 1 The event was organized by Peter.
2 Tom was not hit by a ball.
3 Was the village flooded by heavy rain?
4 Where is English spoken?

Lesson 2 chapter 3 p.095

A 1 will be built (by them) 2 has been owned
3 cannot be solved 4 is being fixed

B 1 All the questions on the sheet must be answered (by you).
2 Their new song will be played by the band.
3 The roof hasn't been fixed (by them) yet.
4 Is Ms. Anderson being interviewed (by them)?

C ⓔ → will be delivered

Lesson 1 chapter 4 p.096

A 1 To stay 2 to forget 3 to participate
4 to take

B 1 what to choose
2 when to stop
3 who(m) to invite
4 where to stay
5 how to pronounce

C 1 not to be late
2 not to play computer games
3 not to go out
4 not to use illegal software

Lesson 2 chapter 4 p.097

A 1 to do 2 to live in 3 to visit
4 to sit on

B 1 nice to say 2 easy to use
3 glad to hear 4 to be a famous scientist
5 only to fail

C 1 in order to do some research
2 pleasant to listen to
3 were excited to see
4 a pen to write with

Lesson 3 chapter 4 p.098

A 1 It is fun to read novels.
2 It is unhealthy to eat junk food.
3 It is not always easy to forgive someone.

B 1 nice of you to take care of
2 stupid of me to believe
3 impossible for her to run
4 difficult for him to solve

C 1 so, slow, I, can't, get
2 It is still good enough to use.

Lesson 1 chapter 5 p.099

A 1 Eating 2 playing 3 learning
4 visiting

B 1 not listening 2 not coming 3 not doing
4 Not eating

C 1 listening to rock music
2 playing board games
3 Brushing your teeth
4 not keeping his promise
5 Eating too many sweets

Lesson 2 chapter 5 p.100

A 1 to go 2 to adopt 3 reading
4 sharing 5 losing[to lose] 6 pouring[to pour]

B 1 visiting 2 putting on 3 to turn off
4 to buy 5 to have

C 1 went skiing
2 are busy doing their homework
3 feel like drinking coffee
4 looking forward to watching
5 spends her free time painting

Lesson 3 chapter 5 p.101

A 1 riding 2 writing 3 barking
4 walking 5 frying 6 sleeping

B 1 tired 2 surprising 3 excited
4 boring 5 disappointed

C ⓐ: looking ⓑ: burning
ⓒ: walking ⓓ: running

Lesson 1 chapter 6 p.102

A 1 an iron, iron 2 a paper, paper
3 room, a room 4 glass, a glass

B 1 two bottles of water
2 a slice of cheese
3 a teaspoon of sugar
4 a few glasses of juice
5 two cartons of milk

C ⓐ eggs ⓑ apples ⓒ meat
ⓓ money ⓔ dollars

Lesson 2 chapter 6 p.103

A 1 girls' school
2 Children's Day
3 My father's birthday
4 The ending of the movie
5 the owner of the shop
6 the name of the book

B 1 myself 2 yourself[yourselves]
3 himself 4 herself
5 itself 6 themselves

C 1 by, himself
2 taught, herself
3 make, yourself[yourselves], at, home
4 between, ourselves
5 talking, to, myself

Lesson 3 chapter 6 p.104

A 1 one 2 ones 3 another
4 it 5 another

B 1 the others
2 (the) others
3 One, The other
4 One, Another, The other

C 1 Some, others
2 One, the others
3 Some, the others
4 Some, the others

Lesson 4 chapter 6 p.105

A 1 Both 2 Each 3 All
4 All 5 Each 6 no

B 1 are 2 has 3 wants
4 are 5 is

C 1 Do you have any brothers or sisters?
2 I have some work to finish by 6.
3 There are not [aren't] any eggs in the refrigerator.
4 Would you like some cookies?
5 There are no candies in the jar. [There are not any candies in the jar.]

Lesson 1 chapter 7 p.106

A 1 alike, the same
2 asleep, sleeping
3 alive, live

B 1 certain 2 certain 3 present
4 present 5 late 6 late

C 1 The rich are not always happy.
2 He raises money to help the poor.
3 The doctor treats the sick with kindness.

Lesson 2 chapter 7 p.107

A 1 ⓐ fast ⓑ fast
2 ⓐ early ⓑ early
3 ⓐ long ⓑ long

B 1 hard, hardly 2 high, highly 3 Nearly, near

C 1 such a good movie
2 so beautiful
3 such large whales.
4 so quickly
5 such a young age.

Lesson 3 chapter 7 p.108

A 1 faster 2 old 3 sweeter
4 famous 5 more expensive

B 1 as big as
2 as exciting as
3 as hard as
4 more humid than
5 longer than

C 1 is lighter than this bag[one]
2 is as expensive as the green jacket
3 don't go shopping as often as Jane (does)
4 can speak more languages than Steve (can)

Lesson 4 chapter 7 p.109

A 1 the tallest, in
2 the oldest, in
3 the most popular, in
4 the most famous, of
5 the most thrilling, of

B 1 more and more interested
2 one of the most busiest cities
3 More and more people
4 as soon as possible

C 1 Jupiter is bigger than any other planet in the solar system.
2 Which planet is hotter, the Earth or Mars?

Lesson 1 chapter 8 p.110

A 1 had 2 join 3 weren't
4 travel

B 1 I were rich enough, I could buy a beautiful house
2 Jessie were not too short, she could join the basketball club
3 he were not too busy, he could attend the lecture

4 it were not raining, the kids could play outside
5 you improved your skills, you could get a job easily

C 1 were not sick, she would be with us now
2 weren't snowing, he would drive to work
3 had a guitar, I would play it for you
4 knew the fact, he would be very disappointed

Lesson 2 chapter 8 p.111

A 1 could buy 2 had 3 is
4 don't apologize 5 will give

B 1 I had my umbrella with me
2 Tom were here with us
3 I were good at math like you
4 I could speak English well

C 1 ⓐ were ⓑ had
2 I wish I were a millionaire.

Lesson 1 chapter 9 p.112

A 1 who[that] 2 which[that] 3 which[that]
4 who[that] 5 who[that] 6 that

B 1 ⓒ 2 ⓑ 3 ⓐ 4 ⓔ 5 ⓓ

C 1 John is the boy who[that] is playing the cello on the stage.
2 Softball is a sport which[that] is similar to baseball.
3 The movie which[that] was directed by Paul Smith was very successful.
4 The old man who[that] was fishing on a boat is my grandfather.

Lesson 2 chapter 9 p.113

A 1 whose 2 who(m) 3 which
4 which 5 whose

B 1 Where is the bag of chips I bought yesterday?
2 This is my new classmate I told you about earlier.
3 The artworks Jim created are beautiful.
4 I lost the DVD whose title is Stone Age.
5 I have a friend whose father is a firefighter.

C 1 I am reading the novel which you recommended to me.
2 I found the picture you were looking for.
3 Is there anything you don't understand?
4 He is the boy whose skateboard was stolen.

Lesson 3 chapter 9 p.114

A 1 why 2 when 3 how 4 where

B 1 I really like how[the way] you sing.
2 I don't know the reason why Jean is absent.
3 Stockholm is the city where she was born.
4 I can't wait for the day when winter vacation begins.
5 Let me tell you how[the way] you can improve your language skills.

C ⓐ where ⓑ when

Lesson 1 chapter 10 p.115

A 1 until 2 since 3 when
4 after 5 Because 6 Before

B 1 We postponed the meeting since we were too busy.
2 While he was climbing a tree, he accidentally touched a beehive on it.
3 As I was walking down the street, I saw a group of people cycling along.
4 As it's getting cold, we'd better go home now.

C 1 When I was young
2 Since it was too bright
3 until the bus arrived

Lesson 2
chapter 10
p.116

A 1 although 2 If 3 Unless
4 If 5 unless

B 1 Unless you hurry up, you may miss the train.
2 Although running the marathon was tiring for her, she ran the entire race.
3 You will fail if you don't get a 70 on the test.
4 Even though Mr. Park is very poor himself, he helps many other poor people.
5 Though it was snowing heavily, we went hiking.

C 1 Press this button, and music will play.
2 If you take this medicine, your cold will improve.
3 Take an umbrella with you, or you'll get wet in case of rain.
4 Unless you go to bed now, you will get up late tomorrow.

Lesson 3
chapter 10
p.117

A 1 but 2 Either 3 neither
4 not only 5 both

B 1 I as well as my sister like
2 Neither he nor I am interested
3 Both Tom and Peter are invited
4 That he quit the job
5 that you love music
6 that he is ill

C ⓐ neither ⓑ nor ⓒ that

Chapter Review

Chapter 1

01 ③ 02 ⑤ 03 ① 04 has been
05 broke 06 ⑤ 07 ① 08 ④ 09 ①
10 ③ 11 for → since 12 ② 13 ①
14 ③ 15 ③
16 (1) Have you heard of her many times?
(2) I have not[have never, haven't] seen an elephant before.
17 ① 18 ⑤ 19 (1) have, been (2) has, gone
20 ④ 21 ③ 22 ③ 23 ③
24 (1) frozen (2) driving (3) shown
25 (1) Have, met (2) have, not, ridden
(3) was, smiling

해설

01 '내가 회사에서 집으로 돌아왔을 때 아이들은 잠을 자고 있었다.'라는 의미로 과거의 진행 중인 동작을 나타내는 과거진행을 고르면 된다. 과거진행은 「was/were+-ing」의 형태로 나타낸다.

02 현재완료 문장에서 for 다음에는 기간을 나타내는 말이 오기 때문에 for는 빈칸에 적절하지 않다.

03 want는 감정을 나타내는 상태동사로 진행형으로 쓰지 않는다.

04 '지난 토요일 이래로 날씨가 좋다.'라는 의미로 현재완료의 계속적 용법에 해당한다. 현재완료는 「have/has+과거분사」로 나타낸다.

05 '어젯밤 누군가가 창문을 깼다.'라는 의미로 과거의 시점을 나타내는 부사구 last night이 있기 때문에 과거시제 broke가 와야 한다.

06 drive, feel, grow는 불규칙 변화 동사로, 동사 변화가 drive - drove - driven, feel - felt - felt, grow - grew - grown이다.

07 since는 '~이래로'라는 의미로 현재완료와 함께 쓰이며 뒤에 시작 시점을 나타내는 말이 온다. ②, ③, ④, ⑤는 명확한 과거 시점을 나타내는 표현으로 현재완료와 함께 쓰지 않는다.

08 '너는 Tony에 대한 소식을 들은 적이 있니?'라는 의미의 현재완료 문장이다. 현재완료로 물으면 현재완료로 답한다.

09 불규칙 변화 동사 hit, cut, set, read, hurt는 현재형, 과거형, 과거분사형의 형태가 같다.

10 현재완료의 의문문은 「Have/Has+주어+과거분사 ~?」의 형태로 나타낸다. 주어가 3인칭 단수이기 때문에 Has he completed ~?를 고른다.

11 '어젯밤부터 머리가 아팠다'라는 의미이며 last night는 시작 시점이므로 for가 아니라 since가 와야 한다.

12 ② '너는 쌀국수를 먹어본 적이 있니?'라는 의미로 현재완료의 경험 용법에 해당한다. eat은 불규칙 변화 동사로 동사 변화가 eat - ate - eaten이다.

13 ① know는 인지동사로 진행형으로 쓰지 않는다. 따라서 is knowing이 아니라 knows가 되어야 한다.

14 ③ '너는 어떻게 살을 뺐니?'라는 의미로 의문사가 있는 현재완료 의문문이다. 의문사가 있는 현재완료 의문문은 「의문사+have/has+주어+과거분사 ~?」의 형태로 나타낸다.

15 ① '그 영화가 언제 시작했니?'라는 의미로 특정 과거 시점을 묻는 의문사 When은 과거시제와 함께 쓴다. ② '그는 그때 나에게 얘기를 하고 있었다.'라는 의미로 at that time은 과거 시점을 나타내는 부사구이기 때문에 과거진행과 함께 써야 한다. ④ 2015년은 시작 시점이므로 for가 아니라 since가 와야 한다. ⑤ 특정 시점을 나타내는 접속사 when(~할 때)은 과거시제와 함께 쓰인다.

16 현재완료의 의문문은 「Have/Has+주어+과거분사~?」의 형태로 나타내며, 현재완료의 부정문은 「have/has+not/never+과거분사」의 형태로 나타낸다.

17 〈보기〉 '그녀는 미국을 두 번 횡단 여행했다.'라는 의미로 과거부터 지금까지의 경험을 나타내는 현재완료의 경험 용법이다. ① '그는 한 번도 골프를 쳐 본 적이 없다.'라는 의미로 경험 용법, ② 'Charlie는 지갑을 잃어버렸다.'라는 의미로 과거에 일어난 일이 현재까지 영향을 미치고 있음을 나타내는 결과 용법, ③ '눈이 막 멈췄다.'라는 의미로 과거에 시작된 일이 현재에 완료된 것을 나타내는 완료 용법, ④ '너희는 얼마나 오랫동안 알고 지냈니?'라는 의미로 과거에 시작된 일이 현재까지 계속되는 계속적 용법, ⑤ '나는 3년 동안 엽서를 모으고 있다.'라는 의미로 과거에 시작된 일이 현재까지 계속되는 계속적 용법이다.

18 ① '그는 막 그녀에게 이메일을 보냈다.'라는 의미로 완료 용법, ② '기차는 이미 역을 떠났다.'라는 의미로 완료 용법, ③ '은행은 막 온라인 서비스를 종료했다.'라는 의미로 완료 용법, ④ '그녀는 아직 고등학교를 마치지 못했다.'라는 의미로 완료 용법, ⑤ '그 교회는 500년도 넘게 거기에 서 있었다.'라는 의미로 계속적 용법이다.

19 (1) 「have/has+been」은 현재완료의 경험 용법으로 '갔다 왔다', '다녀온 경험이 있다'라는 의미이다. (2) 「have/has+gone」는 현재완료의 결과 용법으로 '가 버렸다(현재에 여기에 있지 않음)'라는 의미이다.

20 ④ 과거의 정확한 시점을 나타내는 two months ago가 있기 때문에 have started가 아니라 started가 되어야 한다.

21 • '나는 이 문제에 대해서 작년부터 생각해 왔다.'라는 의미로 last year가 시작 시점이기 때문에 since가 와야 한다. • '그들은 7년 동안 만나왔다.'라는 의미로 seven years는 기간을 나타내는 말이기 때문에 for가 와야 한다.

22 '아직 끝내지 못했다'라는 의미가 되어야 하므로 현재완료 부정문 「have/has+not+과거분사」의 형태로 나타낸다.

23 '방금 나가서 지금은 없다'라는 의미가 되어야 하므로 「have/has+gone」이 와야 한다.

24 (1), (3) '강이 얼어붙었다.', '나는 전에 아무에게도 내 그림을 보여 준 적이 없다.'라는 의미로 현재완료 문장이다. 현재완료는 「have/has+과거분사」로 나타내기 때문에 빈칸에 과거분사를 쓴다. (2) '그는 지금 샌디에고로 운전해서 가는 중이다.'라는 의미로 현재의 진행 중인 동작을 나타내는 현재진행 문장은 「am/are/is+-ing」로 쓴다.

25 (3) 과거의 한 시점에서 진행 중인 동작이나 일을 나타내는 과거진행 문장은 「was/were+-ing」의 형태로 나타낸다.

Chapter 2

01 ④ 02 ② 03 ② 04 ⑤ 05 ①
06 must, be / cannot, be 07 ① 08 ①
09 ⑤ 10 ③ 11 ① 12 can't
13 be able to get 14 ④ 15 ② 16 ②
17 ② 18 would 19 ④ 20 ④ 21 ①, ④
21 ④ 22 ④
23 had, to, apologize / will, have, to, apologize
24 used, to, believe
25 (1) You don't have to get up early on weekends.
(2) You ought to help your parents do house chores.

해설

01 '회의에 참석해야 하므로 목요일에 Jessica를 만날 수 없다.'라는 의미가 되어야 한다. 따라서 '~해야 한다'라는 의미의 의무를 나타내는 조동사 have to를 고른다.

02 '우산을 빌릴 수 있을까요?'라는 의미가 되어야 하므로 허가의 의미를 가진 조동사 May가 적절하다.

03 '나는 전에는 초콜릿을 많이 먹었지만, 지금은 단 것을 먹지 않는다.'라는 의미가 되어야 하므로 과거의 반복적인 행동이나 습관, 상태를 나타내는 used to가 와야 한다.

04 '~해야 한다'라는 의미로 의무나 충고를 나타내는 should가 와야 한다.

05 '~일지도 모른다'는 의미로 불확실한 추측을 나타내는 may가 와야 한다. must는 '~임에 틀림없다'라는 의미로 강한 추측을 나타낸다.

06 (1) '~임이 틀림없다'라는 의미로 강한 추측을 나타내는 must가 와야 한다. (2) '~일리가 없다'라는 의미로 cannot be가 와야 한다.

07 • '걱정하지 마! 너는 괜찮을 거야.'라는 의미로 미래를 나타내는 will이 와야 한다. • '나를 위해 문을 좀 잡아 줄래?'라는 의미로 요청을 나타내는 조동사 will이 적절하다.

08 • '이 탁자를 좀 옆 방으로 옮겨줄래?'라는 의미로 요청을 나타내는 can이 와야 한다. • '내가 너와 잠깐 얘기할 수 있을까?'라는 의미로 허가를 나타내는 can을 고른다. 요청의 의미로 may you는 쓰지 않는다.

09 학교 교칙으로 '학생들은 수업을 들어야 하고, 학교에 늦으면 안 되고, 선생님의 말씀을 들어야 하며, 교복을 입어야 한다'는 의미가 되어야 하므로 '~해야 한다'라는 의미로 의무와, 부정으로 쓰여 '~하면 안 된다'라는 의미로 금지를 나타내는 must가 와야 한다.

10 'Sam은 그 컴퓨터를 고칠 수 있다.'라는 의미이다. '~할 수 있다'라는 의미로 능력 또는 가능성을 나타내는 can은 「be able to+동사원형」으로 바꿔 쓸 수 있다.

11 '너는 나에게 고맙다는 말을 할 필요가 없다.'라는 의미이다. '~할 필요가 없다'라는 의미의 불필요를 나타내는 「don't have to」는 「don't need to」 또는 「need not」으로 바꿔 쓸 수 있다.

12 '돈으로 모든 것을 살 수 있을까?'라는 질문에 부정으로 대답하고 있기 때문에 can의 부정형인 can't가 와야 한다.

13 '너는 무료 선물을 받을 수 있을 것이다.'라는 의미이다. will과 can은 나란히 쓰지 않으며, can의 미래형은 「will be able to+동사원형」으로 나타낸다.

14 • '수영장에 있을지도 모른다.'라는 의미가 되어야 하므로 불확실한 추측을 나타내는 may나 might를 고른다. • '네가 오늘밤 우리를 위해 저녁을 만들어야 해.'라는 의미가 되어야 하므로 의무를 나타내는 have to를 고른다.

15 ② '그녀는 곧 다른 직장을 구해야 할 것이다.'라는 의미로 will과 must는 함께 쓰지 않는다. must의 미래형은 「will have to+동사원형」으로 나타낸다.

16 ② '너는 여기서 시간을 낭비하지 않는 게 좋겠다.'라는 의미로 had better의 부정형이 와야 한다. had better의 부정형은 had better not이다.

17 '다시 얘기 해 줄래?'라는 의미가 되어야 하므로 요청을 나타내는 조동사가 와야 한다. can, could, will, would 모두 요청의 의미를 나타낸다.

18 • '무엇을 드시겠어요?'라는 의미로 소망을 나타내는 would가 와야 한다. • '차 한 잔만 갖다 주시겠어요?'라는 의미로 요청·부탁을 나타내는 조동사 would/will/can/could가 올 수 있다. 따라서 빈칸에 공통으로 알맞은 조동사는 would이다.

19 '차라리 ~하는 게 낫겠다'라는 의미의 조동사는 「would rather+동사원형」이다.

20 '~해서는 안 된다'의 의미로 금지를 나타내는 must not을 고른다.

21 〈보기〉 '들어와서 앉으셔도 돼요.'라는 의미로 can이 허가를 나타내고 있기 때문에 허가를 나타내는 ①, ④를 고른다. ① '여기에 주차해도 돼.'라는 의미로 허가, ② '설탕 좀 건네주시겠어요?'라는 의미로 요청, ③ '수화를 읽을 수 있니?'라는 의미로 능력, ④ '너는 이 집에서 강아지를 키워도 돼.'라는 의미로 허가, ⑤ '그녀는 피아노와 첼로를 연주할 수 있다.'라는 능력의 의미를 나타낸다.

22 ④ must not은 금지를, don't have to는 불필요를 나타낸다. 의무를 나타내는 must는 「have to+동사원형」으로 바꿔 쓸 수 있지만, 금지를 나타내는 must not은 「don't have to+동사원형」으로 바꿔 쓸 수 없다. ① should는 ought to로 바꿔 쓸 수 있고, ② 허가를 나타내는 can은 may로 바꿔 쓸 수 있으며 ③ 소망을 나타내는 「would like to+동사원형」은 「want to+동사원형」으로, ⑤ 능력·가능성을 나타내는 can은 「be able to+동사원형」으로 바꿔 쓸 수 있다.

23 'Sam은 자신의 행동에 대해 그녀에게 사과해야 한다.'라는 의미이다. must의 과거시제는 「had to+동사원형」으로, 미래시제는 「will have to+동사원형」으로 나타낸다.

24 '어릴 때는 마술을 믿었지만, 지금은 더 이상 그것을 믿지 않는다.'라는 의미가 되어야 하므로 '~하곤 했다', '~이 있었다'라는 의미로 과거의 반복적인 행동이나, 습관, 상태를 나타내는 「used to+동사원형」을 써야 한다.

25 (1) '너는 주말에는 일찍 일어날 필요가 없다.'라는 의미로 불필요를 나타내는 don't have to가 와야 한다. (2) '부모님이 집안일을 하는 것을 도와드려야 한다.'라는 의미로 의무나 충고를 나타내는 ought to가 와야 한다.

Chapter 3

01 ③ 02 ② 03 ③ 04 ① 05 ⑤
06 ② 07 ② 08 with 09 ⑤ 10 ⑤
11 By whom was 12 (1) with (2) at (3) in
13 ① 14 ② 15 (1) was (2) sung
16 are, baked, by, her 17 ④ 18 ③ 19 ①
20 ④ 21 ① 22 ③ 23 ③
24 (1) MP3 files will be downloaded by me.
(2) Thomas is being helped by Margaret now.
(3) Who bought ice coffee?
25 (1) The castle was built by Count Dracula.
(2) When was the party held?

해설

01 '신문은 매일 아침 배달된다.'라는 의미로 주어가 행위를 당하는 수동태 문장이다. 수동태는 「be동사+과거분사+(by+행위자)」로 나타낸다.

02 '이 그림은 내 동생에 의해 그려졌다.'라는 의미의 수동태 문장이다. 수동태 문장에서 행위자는 일반적으로 「by+목적격」으로 나타낸다.

03 '그의 집은 지금 Peter에 의해 페인트칠해지고 있다.'라는 의미로 진행 수동태이다. 진행 수동태는 「be동사+being+과거분사(+by+행위자)」로 나타낸다.

04 '미래에는 또 다른 하나의 우주가 과학자들에 의해 발견될 것이다.'라는 의미로 미래 수동태에 해당한다. 미래 수동태는 「will+be+과거분사(+by+행위자)」로 나타낸다.

05 • '수백만 명의 사람들이 매일 인터넷을 사용한다.'라는 의미로 주어가 동작이나 행위의 주체가 되는 능동태 문장이므로 use를 고른다. • '지하철은 매일 많은 사람들에 의해 사용된다.'라는 의미로 주어가 동작이나 행위를 당하거나 영향을 받는 수동태 문장이므로 「be동사+과거분사(+by+행위자)」 형태인 is used by를 고른다.

06 • '나는 생일 케이크를 샀다.'라는 의미로 주어가 동작이나 행위의 주체가 되는 능동태 문장으로 bought를 고른다. • '그 섬은 한 부유한 남자에 의해 구입되었다.'라는 의미로 주어가 동작이나 행위를 당하거나 영향을 받는 수동태 문장으로 「be동사+과거분사(+by+행위자)」 형태인 was bought by를 고른다.

07 수동태 문장에서 행위자는 「by+목적격」으로 나타내기 때문에 소유격인 ours는 빈칸에 알맞지 않다.

08 • '모든 것이 눈으로 덮여 있다.'라는 의미의 수동태 문장이다. 「be covered with ~」는 '~로 덮여 있다'라는 의미로 by 이외의 전치사를 쓰는 수동태이다. • '홀은 음악 소리로 가득 차 있었다.'라는 의미의 수동태 문장이다. 「be filled with ~」는 '~로 가득 차다'라는 의미로 by 이외의 전치사를 쓰는 수동태이다.

09 '초대 받지 않았다'는 대답이 적절하므로 ⑤를 고른다. 수동태의 부정형은 「be동사+not+과거분사(+by+행위자)」로 나타낸다.

10 '저녁은 이미 준비가 다 되었다'라는 완료의 의미가 되어야 하므로 완료 수동태가 와야 한다. 완료 수동태는 「have/has+been+과거분사(+by+행위자)」로 나타낸다.

11 의문사가 주어인 의문문의 수동태는 「By+의문사의 목적격(whom)+be동사+주어+과거분사~?」의 형태로 나타낸다.

12 (1) '~로 가득 차 있다'라는 의미의 「be filled with ~」, (2) '~에 놀라다'라는 의미의 「be surprised at ~」, (3) '~에 관심이 있다'라는 의미의 「be interested in ~」은 모두 by 이외의 전치사를 쓰는 수동태이다.

13 ① '언제 네 자동차를 도난 당했니?'라는 의미이고, 주어가 동작을 당하는 대상이므로 수동태 문장이다. 의문사가 주어가 아닌 의문문 수동태로 「의문사+be동사+주어+과거분사(+by+행위자)?」로 나타낸다. 따라서 stole이 아니라 stolen이 되어야 한다.

14 수동태 문장에서 행위자가 we, you, they, people과 같이 일반적인 사람인 경우, 행위자를 나타내지 않아도 분명한 경우, 행위자를 알 수 없거나 중요하지 않은 경우는 행위자를 생략할 수 있다. ②는 행위자를 알 수 없기 때문에 생략할 수 있다.

15 (1) 의문사가 주어인 의문문인 경우에는 「by+의문사의 목적격(whom)+be동사+주어+과거분사(+by+행위자)?」의 어순으로 나타내기 때문에 did는 was가 되어야 한다. (2) 의문사가 없는 의문문으로 「be동사+주어+과거분사+by+행위자?」로 나타내기 때문에 sang은 sung이 되어야 한다.

16 '머핀은 매주 토요일 그녀에 의해 만들어 진다.'라는 의미의 현재 수동태 문장으로 「am/are/is+과거분사(+by+행위자)」로 나타낸다.

17 능동태를 수동태로 전환한 문장으로 ④의 동사 interest는 수동태 문장으로 전환할 때 by 이외의 전치사를 쓰는 수동태로 at이 아니라 in이 되어야 한다.

18 의문사가 주어가 아닌 수동태 의문문은 「의문사+be동사+주어+과거분사(+by+행위자)?」로 나타낸다.

19 수동태 부정문은 「be동사+not+과거분사(+by+행위자)」로 나타낸다.

20 ④ '누가 내 집을 청소했을까?' 또는 '누구에 의해 내 집이 청소되었을까?'라는 의미의 의문문이 와야 한다. 따라서 의문사가 주어인 능동태 의문문 Who cleaned my house? 또는 의문사가 주어인 수동태 의문문 By whom was my house cleaned?가 되어야 한다.

21 ① '불은 그 소년에 의해 지펴지지 않았다.'라는 의미의 수동태 부정문이다. 수동태 부정문은 「be동사+not+과거분사(+by+행위자)」의 형태로 나타낸다. 따라서 was set not이 아니라 was not set이 되어야 한다.

22 ③ '이 비밀은 우리끼리만 간직해야 한다.'라는 의미의 조동사가 있는 수동태 문장으로, 조동사가 있는 수동태는 「조동사+be+과거분사(+by+행위자)」로 나타낸다.

23 '허리케인 카트리나가 뉴올리언스를 파괴했다.'라는 의미의 능동태 문장이다. 능동태를 수동태로 전환할 때 능동태의 목적어를 수동태의 주어로, 능동태의 동사를 「be동사+과거분사」로, 능동태의 주어를 「by+목적격(행위자)」으로 바꾸면 된다.

24 (1) '나는 MP3 파일을 다운로드 받을 것이다.'라는 의미이다. 미래 수동태는 「will+be+과거분사(+by+행위자)」로 나타낸다. (2) '지금 Margaret은 Thomas를 도와주고 있다.'라는 의미이다. 진행 수동태는 「be동사+being+과거분사(+by+행위자)」로 나타낸다. (3) '누가 아이스크림을 샀니?'라는 의미로 의문사가 주어인 능동태 문장은 「의문사+동사+주어~?」로 나타낸다.

25 (1) 과거 수동태는 「was/were+과거분사(+by+행위자)」의 형태로 나타낸다. (2) 의문사가 주어가 아닌 수동태 의문문으로 「의문사+be동사+주어+과거분사(+by+행위자)?」로 나타낸다.

Chapter 4

01 ③ 02 ④ 03 to keep 04 ② 05 ②
06 ⑤ 07 too, to 08 ④ 09 ④ 10 ③
11 ③ 12 (1) so, weak, that, he, can't
(2) interesting, for, me 13 ⑤ 14 ⑤ 15 ②
16 ① 17 ③ 18 to drop 19 to buy 20 ⑤
21 ① 22 ④ 23 ①
24 something sweet to eat 25 (1) for, us, to, drink
(2) too, high, to, climb (3) to, see

해설

01 '내 목표는 일주일에 3kg을 빼는 것이다.'라는 의미로 문장에서 보어 역할을 할 수 있는 to부정사가 와야 한다. to부정사는 「to+동사원형」으로 나타낸다.

02 '플루트를 부는 방법'이라는 뜻이 되어야 하므로 how to를 고른다.

03 '그는 내 비밀을 지키기로 약속했다.'라는 의미로 promise는 to부정사를 취하는 동사이다. 따라서 to keep이 와야 한다.

04 〈보기〉 '한국에는 방문 할 많은 곳들이 있다'라는 의미로 to부정사가 명사 places를 수식하는 형용사적 용법이다. ① '이야기를 나눌 누군가'라는 의미로 명사 somebody를 수식하는 형용사적 용법, ③ '잡담을 할 시간'이라는 의미로 명사 time을 수식하는 형용사적 용법, ④ '앉을 의자'라는 의미로 명사 chairs를 수식하는 형용사적 용법, ⑤ '시청으로 가는 방법'이라는 의미로 명사 the way를 수식하는 형용사적 용법이다. ② '그가 일을 그만두다니 그는 틀림없이 제정신이 아니야.'라는 의미로 판단의 근거를 나타내는 to부정사의 부사적 용법이다.

05 〈보기〉 '나에게 인사를 하기 위해'라는 의미로 목적을 나타내는 to부정사의 부사적 용법이다. ① '도움을 요청하기 위해', ③ '집을 사기 위해', ④ '일본어를 배우기 위해', ⑤ 핫초코를 만들기 위해'라는 의미로 목적을 나타내는 부사적 용법이며 ② are planning의 목적어 역할을 하는 명사적 용법이다.

06 명사 partner를 수식하는 형용사적 용법으로 '~와 함께 춤추다'라는 의미(to dance with a partner)가 되어야 하므로 to dance with을 고른다.

07 '그녀는 너무 늦게 일어나서 첫차를 타지 못했다.'라는 의미가 되어야 한다. '너무 ~해서 …할 수 없다'라는 의미의 관용 표현은 「too+형용사/부사+to부정사」이다.

08 ① '그녀는 네가 그녀를 곧 방문하기를 원한다.'라는 의미로 목적격 보어 역할을 하는 명사적 용법의 to부정사, ② '당신의 실패 소식을 듣게 되어 유감입니다.'라는 의미로 감정의 원인 · 이유를 나타내는 부사적 용법의 to부정사, ③ '그는 저녁으로 먹을 것이 필요하다.'라는 의미로 명사 something을 수식하는 형용사적 용법의 to부정사, ⑤ '신선한 채소를 먹는 것은 너에게 좋다.'라는 의미로 주어 역할을 하는 명사적 용법의 to부정사이다. ④ '나는 친구를 방문하러 병원에 갔다.'라는 의미로 to는 '~으로', '~에'라는 의미의 장소를 나타내는 전치사이다.

09 의미상의 주어 him 앞에 전치사 of가 왔기 때문에 빈칸에는 사람의 성질, 성격을 나타내는 형용사가 와야 한다. 따라서 easy는 적절하지 않다.

10 -thing/-one/-body로 끝나는 대명사는 수식하는 형용사가 대명사 뒤에 위치하게 되는데 이를 다시 to부정사가 수식하면 「-thing/-one/-body+형용사+to부정사」의 어순이 된다.

11 '감기에 걸리지 않도록 조심해라.'라는 의미로 to부정사의 부정은 「not+to+동사원형」 또는 「never+to+동사원형」으로 나타낸다.

12 (1) '너무 ~해서 …할 수 없다'라는 의미의 관용 표현 「too+형용사/부사+to부정사」는 「so ~ that+주어+can't/couldn't …」로 바꿔 쓸 수 있다. (2) 가주어 · 진주어 구문으로 만들 때 주어(to부정사)를 뒤로 보내고 그 자리에 가주어 it을 쓰면 된다.

13 to부정사의 의미상 주어는 일반 형용사인 경우에는 「for+목적격」으로, 사람의 성질이나 성격을 나타내는 형용사인 경우에는 「of+목적격」으로 나타낸다. 의미상의 주어가 for him이므로 앞에는 일반 형용사가 와야 한다. 따라서 smart는 적절하지 않다.

14 「의문사+to부정사」로 문장에서 명사처럼 주어, 보어, 목적어 역할을 한다. 하지만, 「why+to부정사」는 쓰지 않는다.

15 something을 수식하는 형용사적 용법으로 '얘기할 것'이라는 의미가 되어야 하므로 ② talk는 to talk가 되어야 한다.

16 ②, ③, ④, ⑤는 빈칸 앞의 형용사가 hard, impossible, safe, necessary이므로 의미상의 주어를 「for+목적격」으로, ①은 빈칸 앞의 형용사가 사람의 성질이나 성격을 나타내는 형용사 rude이므로 의미상의 주어를 「of+목적격」으로 나타낸다.

17 '~할 만큼 …하다'라는 의미의 to부정사 관용 표현 「enough+형용사/부사+to부정사」를 고른다.

18 '떨어뜨리다니 정말 부주의하다'라는 의미로 판단의 근거를 나타내는 to부정사의 부사적 용법이다. to dropping이 아니라 to drop이 되어야 한다.

19 'Helen은 옷을 사고 싶었다. 그래서 백화점에 갔다.'라는 의미로 '~하기 위하여'라는 의미의 목적을 나타내는 to부정사로 바꿔 쓸 수 있다.

20 ⑤ 'Joe는 다른 도시로 이사하기로 결정했다.'라는 의미로 decide는 목적어로 to부정사를 취하는 동사이다. 따라서 to moving이 to move가 되어야 한다.

21 ① '그녀는 쓸 펜이 필요했다'라는 의미로 to write with a pen이 되어야 한다. 따라서 to write 다음에 전치사 with가 와야 한다.

22 ④ '그에게 있어 답을 알아내는 것은 쉬운 일이었다.'라는 의미의 문장으로 to부정사의 의미상의 주어는 일반 형용사일 경우는 「for+목적격」, 사람의 성질이나 성격을 나타내는 형용사인 경우는 「of+목적격」으로 나타낸다. 따라서 he가 아니라 him이 되어야 한다.

23 to부정사가 이끄는 구가 주어로 오는 경우 주어(to부정사)를 뒤로 보내고 그 자리에 it을 쓰는데, 이 때 it을 가주어라고 한다. ①은 날씨, 시간, 요일, 날짜, 거리 등을 나타낼 때 쓰는 비인칭 주어이다.

24 -thing/-one/-body로 끝나는 대명사는 수식하는 형용사가 대명사 뒤에 위치하게 되는데 이를 다시 to부정사가 수식하면 「-thing/-one/-body+형용사+to부정사」의 어순이 된다.

25 (1) safe가 일반 형용사이기 때문에 의미상의 주어는 「for+목적격」으로 나타낸다. (2) '너무 ~해서 …할 수 없다'라는 의미는 「too+형용사/부사+to부정사」를 쓴다. (3) 감정의 원인 · 이유를 나타내는 to부정사의 부사적 용법이다.

Chapter 5

01 ④ 02 ② 03 cleaning 04 ④ 05 ⑤
06 ① 07 (1) answer → to answer (2) turn off → turning off 08 ② 09 ⓐ 걸어가고 있는 남자, ⓑ 지팡이
10 ⑤ 11 ⑤ 12 ④ 13 ③ 14 ③
15 ② 16 ③ 17 ④ 18 ②
19 (1) Gabriel stopped to tie his shoelaces.
(2) I will never forget seeing the Statue of Liberty.
20 ① 21 (1) being (2) lost dog (3) disappointing
22 ③ 24 having, to eat, fried, going
25 (1) Traveling[To travel] (2) wearing

해설

01 '도난 당한'이라는 수동의 의미로 명사 car를 수식하는 과거분사가 와야 한다.

02 '외국어를 배우는 것은'이라는 의미로 문장에서 주어 역할을 하는 동명사를 고른다.

03 'Dylan은 자신의 더러운 방을 청소하느라 바쁘다.'라는 의미이다. '~하느라 바쁘다'라는 의미의 관용 표현은 「be busy+-ing」로 빈칸에 cleaning이 와야 한다.

04 빈칸 뒤에 to go가 있기 때문에 to부정사를 목적어로 취하는 동사가 와야 한다. plan, decide, want, hope는 to부정사를 목적어로 취하는 동사이고, delay는 목적어로 동명사를 취하는 동사이다.

05 빈칸 뒤에 동명사 drawing이 있기 때문에 동명사를 목적어로 취하는 동사가 와야 한다. enjoy, avoid, keep은 목적어로 동명사를 취하는 동사, like는 동명사와 to부정사를 모두 목적어로 취하는 동사, agree는 to부정사를 목적어로 취하는 동사이다.

06 〈보기〉 '자고 있는 고양이 한 마리'라는 의미로 sleeping이 명사 cat을 수식하는 현재분사이다. ① '나에게 웃고 있는 소녀'라는 의미로 smiling이 명사 girl을 수식하는 현재분사, ② '나에게 엽서를 보내줘서 고마워.'라는 의미로 전치사 for의 목적어 역할을 하는 동명사, ③ '카드 마술을 잘 한다'라는 의미로 전치사 at의 목적어 역할을 하는 동명사, ④ '에베레스트 산 정상에 도착하는 것'이라는 의미로 문장에서 보어 역할을 하는 동명사, ⑤ '수영에서 세계 기록을 깨는 것'이라는 의미로 문장에서 보어 역할을 하는 동명사이다.

07 • '내 전화 받는 것을 거부했다'라는 의미로 refuse는 to부정사를 목적어로 취하는 동사이므로, answer는 to answer가 되어야 한다. • '라디오 좀 꺼 주시겠어요?'라는 의미로 mind는 동명사를 목적어로 취하는 동사이므로 turn이 아니라 turning이 되어야 한다.

08 빈칸 뒤에 listening과 to travel이 있기 때문에 동명사와 to부정사를 모두 목적어로 취할 수 있는 동사가 와야 한다. love는 동명사와 to부정사를 모두 목적어로 취하는 동사, hope, decide, refuse는 to부정사를 목적어로 취하는 동사, avoid는 동명사를 목적어로 취하는 동사이다.

09 ⓐ의 walking은 명사 man을 수식하는 현재분사로 '~하고 있는'으로 해석한다. ⓑ의 walking은 stick의 용도나 목적을 나타내는 동명사로 '걷기 위해 만들어진 막대기' 즉, '지팡이'라고 해석한다.

10 ① '구르는 돌'이라는 의미로 rolling은 명사 stone을 수식하는 현재분사, ② '밖에서 기다리는 남자'라는 의미로 waiting은 명사 man을 수식하는 현재분사, ③ '벤치에 앉아있는 소년'이라는 의미로 sitting은 명사 boy를 수식하는 현재분사, ④ '빛나는 별'이라는 의미로 shining은 명사 stars를 수식하는 현재분사, ⑤ sleeping bag은 '침낭'이라는 뜻으로 sleeping은 명사의 용도나 목적을 나타내기 때문에 동명사이다.

11 ① broken은 명사 mirror를 수식하여 '깨진'이라는 수동의 의미를 나타내는 과거분사, ② '멋진 불꽃놀이'라는 뜻으로 fireworks가 감정(amazing)을 느끼게 하는 원인이 되므로 현재분사가 적절, ③ invited는 명사 guests를 수식하여 '초대된'이라는 수동을 나타내는 과거분사, ④ delayed는 명사 flight를 수식하여 '연착된'이라는 수동의 의미를 나타내는 과거분사, ⑤ 명사 eggs를 수식하여 '삶은'이라는 수동의 의미가 되어야 하므로 boiling이 아니라 boiled가 되어야 한다.

12 '소설이 너무 재미있어서 나는 그것을 읽는 것을 멈출 수가 없었다.'라는 의미가 되어야 한다. 따라서 novel이 감정을 느끼게 하는 원인이기 때문에 현재분사가 와야 하며, '~하는 것을 멈추다'라는 의미가 되기 위해서는 stop 다음에 동명사가 와야 한다.

13 '게임이 흥미로워서 다시 보는 것을 학수고대하고 있다.'라는 의미가 되어야 한다. 'I'는 감정을 느끼는 주체이기 때문에 과거분사 interested가 와야 하고 '~을 학수고대하다'라는 의미의 관용 표현 「look forward to」 다음에는 동명사가 와야 한다.

14 '영화가 지루해서 나는 지루함을 느꼈다.'라는 의미가 되어야 한다. movie가 감정을 느끼게 하는 원인이기 때문에 현재분사 boring을, 'I'는 감정을 느끼는 주체이기 때문에 과거분사 bored가 와야 한다.

15 forget은 to부정사와 동명사를 모두 취할 수 있지만, 「forget+to부정사」는 '~하는 것을 잊다'라는 의미이고, 「forget+동명사」는 '~한 것을 잊다'라는 의미이다. '시계를 가지고 오는 것을 잊다'라는 의미가 되어야 하므로 to bring를 고른다.

16 remember는 to부정사와 동명사를 모두 취할 수 있지만, 「remember+to부정사」는 '~하는 것을 기억하다'라는 의미이고, 「remember+동명사」는 '~한 것을 기억하다'라는 의미이다. '영화를 봤던 것'이라는 의미가 되어야 하므로 remember 다음에 동명사 seeing이 와야 한다.

17 try는 to부정사와 동명사를 모두 취할 수 있지만, 「try+to부정사」는 '~하려고 애쓰다'라는 의미이고, 「try+동명사」는 '시험 삼아 ~해보다'라는 의미이다. '시험 삼아 커피에 소금을 넣어 보았다'라는 의미가 되어야 하므로 try 다음에 동명사 putting이 와야 한다.

18 ② '책을 읽는 것이 내 취미이다'라는 의미로 동명사(구)가 주어 역할을 한다. 문장의 주어로 동명사(구)가 올 경우 단수동사를 취하기 때문에 are는 is가 되어야 한다.

19 (1) '~하기 위해 멈추다'라는 의미의 「stop+to부정사」를 사용한다. (2) '~하느라 바쁘다'라는 의미의 관용 표현 「be busy+-ing」를 사용한다. (3) '~한 것을 잊다'라는 의미의 「forget+-ing」을 사용한다.

20 stop, forget은 to부정사와 동명사를 모두 목적어로 취하지만, 목적어에 따라 의미가 달라진다. 「stop+to부정사」는 '~하기 위해 멈추다'라는 의미이고, 「stop+동명사」는 '~하는 것을 멈추다'라는 의미이다. 「forget+to부정사」는 '~하는 것을 잊다'라는 의미이고, 「forget+동명사」는 '~한 것을 잊다'라는 의미이다.

21 (1) '무례하게 군것을 용서해 주세요.'라는 의미이며 전치사 for의 목적어로 동명사가 와야 하기 때문에 being이 되어야 한다. (2) '잃어버린 개'라는 의미로 lost가 명사 dog를 수식하는 분사이다. 분사가 단독으로 명사를 수식할 경우에는 명사 앞에 위치하므로 lost dog가 되어야 한다. (3) The result가 감정을 유발하는 원인이기 때문에

현재분사가 와야 하므로 disappointing이 되어야 한다.

22 ① '담배를 끊다'라는 의미로 give up은 동명사를 목적어로 취하는 동사이다. ② '돈을 빌려주기로 동의했다'라는 의미로 agree는 to부정사를 목적어로 취하는 동사이다. ③ '혼자 사는 데 익숙해질 것이다'라는 의미가 되어야 한다. '~ 하는 데 익숙하다'라는 의미의 동명사 관용 표현은 「be used to+-ing」이므로 live가 아니라 living이 되어야 한다. ④ 「stop+동명사」는 '~하는 것을 멈추다'라는 의미이고, 「stop+to부정사」는 '~하기 위해 멈추다'라는 의미이다. '내 여동생을 태우기 위해 멈췄다'라는 의미가 되어야 하므로 stop 다음에 to부정사가 왔다. ⑤ '퍼즐을 완성하는 데 다섯 시간을 소비했다.'라는 의미가 되어야 한다. '~하는 데 …을 소비하다'라는 의미의 동명사 관용 표현은 「spend+시간/돈+-ing」이다.

23 ① '휴식을 취하고 싶다'라는 의미로 want는 to부정사를 목적어로 취하는 동사이다. ② '내 마음을 아프지 않게 하겠다고 약속했다'라는 의미로 promise는 to부정사를 목적어로 취하는 동사이며 to부정사의 부정은 「not/never+to+동사원형」으로 나타낸다. ③ '커피를 그만 마셔야 할까요?'라는 의미로 quit은 목적어로 동명사를 취하는 동사이기 때문에 to drink가 아니라 drinking이 되어야 한다. ④ '막 편지 쓰는 것을 마쳤다'라는 의미로 finish는 목적어로 동명사를 취하는 동사이다. ⑤ '웃지 않을 수 없었다'라는 의미로 '~하지 않을 수 없다'라는 의미의 동명사 관용 표현은 「cannot help +-ing」이다.

24 「feel like+-ing」는 '~하고 싶다'라는 의미의 동명사 관용 표현으로 have는 having이 되어야 한다. want는 목적어로 to부정사를 취하므로 to eat이 되어야 한다. '튀긴 감자'라는 수동의 의미가 되어야 하므로 과거분사 fried가 되어야 한다. 「How about+-ing?」는 '~하는 건 어때?'라는 동명사 관용 표현으로 go는 going이 되어야 한다.

25 (1) 문장에서 주어 역할을 하는 동명사나 to부정사를 쓴다. (2) '입고 있는 소녀'라는 능동의 의미로 girl을 수식하는 현재분사 wearing이 와야 한다.

Chapter 6

01 ③ 02 ④ 03 ⑤ 04 ⑤
05 (1) myself (2) yourself (3) yourself
06 ① 07 ① 08 ① 09 ②
10 One, the other 11 Both 12 ② 13 one, another, the other 14 (1) slices (2) bowl, glasses
15 ④ 16 ④ 17 ④ 18 ⑤ 19 ④
20 ② 21 ④ 22 ⑤ 23 ⑤
24 to, between
25 (1) taught, herself, five, languages
(2) All, of, my, friends, were
(3) the, top, of, the, mountain

해설

01 '신발을 잃어버려서 하나를 사야 한다.'는 의미가 되어야 한다. 앞에 나온 동일한 사물이 아닌 같은 종류의 사물임을 나타내는 부정대명사 one을 사용하는데, shoes가 복수형이므로 빈칸에는 ones가 와야 한다. it(복수일 때: them)은 앞에 나온 동일한 사물임을 나타내기 때문에 적절하지 않다.

02 '일부 학생은 영어를 좋아하고, 다른 일부는 수학을 좋아한다.'라는 의미가 되어야 하므로 '일부는 ~, 다른 일부는 …'라는 의미의 부정대명사 표현 「some ~, others …」를 고른다.

03 but은 역접의 의미를 갖는 접속사로 앞 절과 뒤 절에 상반되는 내용이 온다. 따라서 '우리는 도넛을 먹고 싶었지만, 우리 둘 다 돈이 없었다.'라는 의미가 되어야 하므로 '(둘 중) 어느 쪽도 아닌'이라는 의미의 neither를 고른다.

04 '그들은 그들 스스로 배를 만들었다.'라는 의미가 되어야 하므로 주어, 목적어, 보어의 뜻을 강조하기 위해 강조어구의 바로 뒤 또는 문장 맨 뒤에 오는 강조용법의 재귀대명사가 와야 한다.

05 (1) '나는 뜨거운 물에 데었다.'라는 의미로 주어와 목적어가 같은 대상이기 때문에 재귀대명사 myself를 고른다. (2) '너 자신을 우리에게 소개할 수 있다.'라는 의미로 재귀대명사 관용 표현 「introduce oneself」로 yourself를 고른다. (3) '너 스스로 그것을 해라.'라는 의미로 재귀대명사의 강조용법이다.

06 '시간이 없다'라는 의미가 되어야 하므로 '어떤 ~도 없는(아닌)'이라는 의미의 no가 와야 한다.

07 '혼자 영화를 보러 갔다'라는 의미가 되어야 한다. 「by+oneself」는 '혼자'라는 의미의 재귀대명사 관용 표현으로 빈칸에 by가 와야 한다.

08 ⓐ 시간, 거리, 가격, 중량을 나타내는 명사는 무생물이지만, 소유격을 나타낼 때 's를 붙이기 때문에 today's newspaper가 되어야 한다. ⓑ 명사의 복수형이 -s로 끝나지 않는 경우에는 명사 뒤에 's를 붙여 소유격을 나타내므로 children's shoes가 되어야 한다.

09 '내 새 컴퓨터는 이전 것보다 빠르고, 그것(새 컴퓨터)은 메모리가 8GB이다.'라는 의미가 되어야 한다. 첫 번째 빈칸에는 같은 종류의 사물을 나타내는 부정대명사 one이 와야 하고, 두 번째 빈칸에는 동일한 사물을 나타내는 it이 와야 한다.

10 '나에겐 두 명의 외국인 친구가 있다. 한 명은 미국인이고, 다른 한 명은 캐나다인이다.'라는 의미가 되어야 하므로 '(둘 중에서) 하나는 ~, 나머지 하나는 …'이라는 의미의 부정대명사 표현 「one ~, the other …」가 와야 한다.

11 'Jim과 Brain 모두 좋은 충고를 해주었다.'는 의미가 되어야 하므로 '둘 다', '양 쪽 다'라는 의미의 부정대명사 Both가 와야 한다.

12 'Karen과 Ken은 모두 비행기를 타지 못했다.'는 의미가 되어야 하므로 '(둘 중) 어느 쪽도 아닌'이라는 의미의 부정대명사 Neither가 와야 한다.

13 '한 명은 할머니, 또 다른 한 명은 이모, 나머지 한 명은 삼촌'이라는 의미가 되어야 하므로 '(셋 중) 하나는 ~, 또 다른 하나는 …, 나머지 하나는 ~'의 의미의 부정대명사 표현 「one ~, another …, and the other …」를 사용한다.

14 물질명사의 수량은 단위나 용기를 나타내는 말을 이용하여 나타낸다. cheese는 slice, cereal은 bowl, milk는 glass를 사용한다.

15 ④ '그녀는 큰 저택에 혼자 살았다.'라는 의미로 alone은 재귀대명사 관용 표현 「by+oneself」로 바꿔 쓸 수 있다. 따라서 with가 아니라 by가 되어야 한다.

16 '(많은 것 중에서) 하나는 ~, 나머지 전부는 …'이라는 의미의 부정대명사 표현 「one ~, the others …」가 와야 한다.

17 '(둘 중) 어느 하나'라는 의미의 부정대명사 either가 와야 한다.

18 ⑤ 물질명사의 수량은 단위나 용기를 나타내는 말을 이용하여 나타낸다. 따라서 two piece of cheesecakes가 아니라 two pieces of cheesecake가 되어야 한다.

19 ④ '모든'이라는 의미의 every 다음에는 단수명사가 온다. 따라서 books가 아니라 book이 되어야 한다.

20 ③ '내 스스로 그것을 청소할 것이다'라는 의미로 주어를 강조하는 강조용법으로 myself를 생략할 수 있다. ① you가 생략되어 동사원형으로 시작하는 명령문이고, yourself는 전치사 of의 목적어로 재귀용법, ② '거울 속의 자기 자신을 보다'라는 의미로 himself는 saw의 목적어가 되는 재귀용법, ④ '그들 스스로를 숨겼다(숨었다)'라는 의미로 themselves는 hid의 목적어가 되는 재귀용법, ⑤ '게임을 하다가 (스스로) 다쳤다'라는 의미로 himself는 hurt의 목적어가 되는 재귀용법이다.

21 ① '자기 자신에 대해 이야기 한다'라는 의미로 himself는 about의 목적어가 되는 재귀용법, ② 재귀대명사 관용 표현으로 '편하게 하다'라는 의미의 「make oneself at home」으로 재귀용법, ③ '자신을 비난해서는 안 된다'라는 의미로 yourself는 blame의 목적어가 되는 재귀용법, ④ '스스로 컴퓨터를 고쳤다'라는 의미로 주어를 강조하는 강조용법, ⑤ '면도를 하다가 베었다'라는 의미로 himself가 cut의 목적어가 되는 재귀용법이다.

22 some과 any 모두 '어떤 사람들', '얼마간', '약간'이라는 뜻으로 가산명사 또는 불가산명사 앞에 쓰인다. 하지만, some은 주로 긍정문과 권유의 의문문이나 긍정의 대답을 기대하는 의문문에서, any는 부정문이나 의문문, '어떤/어느 ~라도'라는 의미로 긍정문에 쓰인다. ⑤는 의문문이지만, 긍정의 대답을 기대하는 권유의 의문문으로 빈칸에는 some이 와야 한다.

23 ① mathematics와 economics와 같이 -s로 끝나는 학과명은 단수 취급해 단수동사가 온다. ② wisdom은 추상명사로 부정관사를 붙이지 않는다. ③ 명사가 무생물일 경우 소유격은 「of+명사」로 나타낸다. ④ shoes, socks, pants와 같이 한 쌍으로 된 명사는 복수형으로 쓰고 복수 취급하며 수를 셀 때에는 「a pair of ~」를 쓴다. ⑤ 물질명사의 수량표현은 단위나 용기를 나타내는 말을 써서 나타낸다. 따라서 butter나 sugar를 담는 용기를 이용하여 two tablespoons of butter and one spoonful of sugar로 나타내야 한다.

24 (1) '후식을 마음껏 드세요.'라는 의미로 재귀대명사의 관용 표현 「help oneself (to) ~」에 해당한다. 따라서 빈칸에 to가 와야 한다. (2) '이것을 우리들끼리의 얘기로 하자.'라는 의미로 재귀대명사의 관용 표현 「between ourselves」에 해당한다. 따라서 빈칸에 between이 와야 한다.

25 (1) '독학하다'라는 의미의 재귀대명사 관용 표현 「teach oneself」를 사용한다. (2) all은 (셋 이상의) '모든 사람', '모든 것'이라는 의미로 「all+(of)+복수명사+복수동사」의 형태로 나타낸다. (3) 명사가 무생물일 경우 소유격은 「of+명사」로 나타낸다.

Chapter 7

01 ② 02 ① 03 ① 04 ② 05 ④
06 ③ 07 ⓐ late, ⓑ early / ⓐ subject, ⓑ the easiest 08 ① 09 ① 10 ⑤
11 such a pretty voice 12 ⑤ 13 ③
14 ④ 15 ② 16 ⑤ 17 ③ 18 ④
19 (1) stricter than my mother
(2) faster than any other student in our school
20 harder, than 21 ④ 22 ②
23 He is such a generous man.
24 ⓐ 매우 ⓑ 현재의 ⓒ 죽은
25 (1) less interesting than writing
(2) the kindest person in our company
(3) as comfortable as a sofa

해설

01 '돈이 내 가족만큼 중요하지는 않다.'라는 의미가 되어야 하므로 원급 비교의 부정형은 「not+as(so)+형용사/부사의 원급+as」로 나타낸다.

02 '빨간색 모자는 검은색 모자보다 값이 덜 비싸다.'라는 의미가 되어야 한다. than 앞에 원급이 왔기 때문에 '~보다 덜 한/하게'라는 뜻의 「less+원급+than」을 사용한다. ② 동등비교에 쓰이는 as는 than과 함께 쓰일 수 없다. ③ much는 '많은'이라는 의미로 불가산명사를 수식하거나, '훨씬 더'의 의미로 비교급을 강조한다. cheap이 원급이므로 much의 수식을 받을 수 없다. ④ many는 '많은'의 의미로 가산명사를 수식하는 수량형용사이다. ⑤ a little은 '조금'이라는 의미로 불가산명사를 수식하는 수량형용사이다.

03 '나는 셰익스피어가 역대 가장 훌륭한 작가라고 생각한다.'라는 의미로 빈칸에는 최상급 best가 와야 한다.

04 명사 man을 수식하는 한정적 용법의 형용사가 와야 한다. ② asleep은 주어나 목적어의 성질이나 상태 등을 보충 설명하는 서술적 용법으로만 쓰이는 형용사로 빈칸에 적절하지 않다.

05 주격보어 역할을 할 수 있는 명사나 형용사가 와야 한다. friendly, lonely, lovely, silly는 -ly로 끝나는 형용사로 빈칸에 올 수 있지만, happily는 부사로 알맞지 않다.

06 ① '꿀은 설탕만큼 달콤하다.'라는 의미로 「as 형용사/부사의 원급 as」의 원급 비교 구문이다. ② '꿀은 설탕보다 건강에 좋다.'라는 의미로 「비교급+than」의 비교급 구문이다. ③ '꿀은 설탕보다 달콤하다.'라는 의미의 비교급 문장이 되어야 한다. the sweeter는 sweeter than이 되어야 한다. ④ '꿀은 설탕만큼 가격이 싸지 않다.'라는 의미로 「not+as(so)+형용사/부사의 원급+as」로 원급 비교의 부정형 구문이다. ⑤ '꿀은 설탕보다 비싸다.'라는 의미로 비교급 문장이며 expensive는 3음절 이상의 단어로 비교급, 최상급을 만들 때 more나 most를 붙여 나타낸다.

07 (1) '어제 늦게까지 일했다'라는 의미가 되어야 하므로 late를, '집에 일찍 가라'는 의미가 되어야 하므로 early를 고른다. lately는 부사로 '최근에'라는 의미이며, early는 형용사와 부사의 형태가 같다. (2) '어떤 다른 과목보다 더 어려운'이라는 의미로 「비교급+than any other+단수명사」 구문이다. 따라서 subject를 고른

다. 가장 쉬운 과목이다'라는 뜻의 되어야 하므로 the easiest를 고른다.

08 hard와 well은 형용사와 부사의 형태가 같은 단어이다. hard는 형용사로 '단단한', '어려운'이라는 의미이고, 부사로 '열심히'라는 의미이다. well은 형용사로 '건강한'이라는 의미이고, 부사로 '잘', '훌륭하게'라는 의미이다. 첫 번째 빈칸에는 '그녀는 매일 열심히 연습했다.'라는 의미가 되어야 하므로 hard를, 두 번째 빈칸에는 '그녀는 플루트를 잘 분다.'라는 의미가 되어야 하므로 well을 고른다. hardly는 '거의 ~하지 않는다'라는 의미의 부사이다.

09 '보스턴은 뉴욕만큼 혼잡하지 않다.'라는 의미로 「A not as 원급 as B」 구문이다. 「A not as 원급 as B」는 'A가 B보다 덜 ~한'이라는 의미의 「A less than B」로 바꿔 쓸 수 있고, 「A less than B」는 'B가 A보다 더 ~한'이라는 의미의 「B 비교급+than A」로 바꿔 쓸 수 있다.

10 ① '나는 잠을 자는 데 정말 많은 시간을 보낸다.'라는 의미로 much는 불가산명사 time을 수식하는 수량형용사, ② '강에는 물이 많지 않았다.'라는 의미로 much는 불가산명사 water를 수식하는 수량형용사, ③ '방에 소음이 정말 심했다.'라는 의미로 much는 불가산명사 noise를 수식하는 수량형용사, ④ '그 때에는 돈이 많지 않았다.'라는 의미로 much는 불가산명사 money를 수식하는 수량형용사, ⑤ '내가 생각했던 것보다 훨씬 더 좋았다.'라는 의미로 비교급 앞에 쓰여 '훨씬 더'라는 의미로 비교급을 강조하는 표현이다.

11 '매우', '대단히'라는 의미로 명사와 함께 쓰이는 형용사를 강조하는 such는 「such+(a(n))+(형용사)+명사」의 어순으로 쓰인다. 따라서 such a pretty voice가 되어야 한다.

12 ① lately는 '최근에'라는 의미의 부사, ② hardly는 '거의 ~하지 않다'라는 의미의 부사, ③ high는 '높이'라는 의미의 부사, ④ shortly는 '곧', '이윽고'라는 의미의 부사이다. ⑤ '가까이에 앉았다'라는 의미가 되어야 하므로 nearly가 아니라 '가까이'라는 의미의 부사 near가 와야 한다. nearly는 '거의', '대략'이라는 의미의 부사이다.

13 ③ 원급 비교에서는 비교 대상은 동등한 형태가 와야 하기 때문에 your가 아니라 yours나 your dog가 되어야 한다.

14 '가능한 한 ~한/하게'라는 의미의 「as+형용사/부사의 원급+as possible」는 「as 형용사/부사의 원급 as one can」으로 바꿔 쓸 수 있다.

15 ① '점점 더 ~해지다'라는 의미의 관용 표현 「be/become/get+비교급 and 비교급」 구문이다. ② '가장 ~한 것 중 하나'라는 의미의 관용 표현 「one of the 최상급+복수명사」 구문으로 day는 days가 되어야 한다. ③ '~보다 더 …한'이라는 의미의 「비교급+than」 구문이다. ④ '덜 ~한/하게'라는 의미의 「less 형용사/부사의 원급 than」 구문이다. ⑤ '~중에 가장 …한'의 의미로 「the+최상급(+명사)+of 비교 대상이 되는 명사」 구문이다.

16 ① elder는 명사를 수식하는 한정적 용법으로 쓰이는 형용사, ② chilly는 -ly로 끝나는 형용사, ③ afraid는 서술적 용법으로만 쓰이는 형용사, ④ so는 '매우', '그만큼'의 의미로 주로 명사가 없는 형용사 또는 부사를 강조하는 부사, ⑤ 「the+형용사」는 '~한 사람들'이라는 의미로 복수 보통명사가 되어 복수동사를 취한다. 따라서 is가 아니라 are가 되어야 한다.

17 ① '나는 자신의 반에서 가장 좋은 점수를 받았다.'라는 의미로 「the+최상급(+명사)+in+장소/범위를 나타내는 단수명사」 최상급 구문이다. ② '나는 Susan만큼 운이 없었을 뿐이었다.'라는 의미로 「as(so)+형용사/부사의 원급+as」 구문이다. ③ 'A가 B보다 덜 ~한/하게'라는 의미의 「A less+원급+than B」를 써서 less 다음에 원급이 오거나 'A가 B보다 더 ~한/하게'라는 의미의 「비교급+than」의 형태를 써서 less를 삭제해야 한다. ④ '네가 생각하는 것보다 물을 많이 마시는 것은 더 중요하다.'라는 의미로 「비교급+than」 구문이다. ⑤ '왕과 대통령 중 누가 더 많은 권력을 가질까?'라는 의미이며 「Who ~ 비교급, A or B~?」 형태로 'A와 B 중 누가 더 ~하니?'라는 의미의 관용 표현이다.

19 (1) 「A not as 형용사/부사의 원급 B as」는 「B 비교급 than A」로 바꿔 쓸 수 있다. (2) 「the+최상급+명사」는 「비교급+than any other+단수명사」와 바꿔 쓸 수 있다.

20 hard는 부사로 '열심히'라는 의미이다. 따라서 '더 열심히 공부했다'라는 의미가 되려면 studied harder가 되어야 한다. hardly는 '거의 ~하지 않다'라는 의미의 부사이다.

21 ① 「A not as(so) 형용사/부사의 원급 as B」는 「A less 형용사/부사의 원급 than B」로 바꿔 쓸 수 있다. ② much, far, still, even, a lot 등은 비교급 앞에 써서 '훨씬 더'의 뜻으로 비교급을 강조한다. ③ '가능한 한 ~한/하게'라는 의미의 「as 형용사/부사의 원급 as possible」은 「as 형용사/부사의 원급 as one can」로 바꿔 쓸 수 있다. ④ 「the+최상급+명사」의 최상급 구문은 「비교급+than any other+단수명사」와 바꿔 쓸 수 있다. 따라서 rivers가 아니라 river가 되어야 한다. ⑤ 「A 비교급+than B」는 「B not as(so)+형용사/부사의 원급 A」로 바꿔 쓸 수 있다.

22 • 'Kevin은 Dave만큼 재미있다.'라는 의미이며 「as+형용사/부사의 원급+as」의 원급 비교 구문으로 funny가 와야 한다. • 'Kevin은 Nick보다 재미있다.'라는 의미이며 「비교급+than」의 비교급 구문이므로 funnier가 와야 한다. • 'Kevin은 내 친구들 중에서 가장 재미있는 녀석이다.'라는 의미이며 「the+최상급+명사+of+비교 대상이 되는 명사」의 구문으로 최상급 funniest가 와야 한다.

23 '매우', '대단히'의 의미로 명사와 함께 쓰이는 형용사를 강조하는 such는 「such+(a(n))+형용사+명사」의 어순으로 쓰인다. 따라서 He is such a generous man.이 되어야 한다.

24 ⓐ so는 '매우', '그만큼'의 의미로 「so+형용사/부사」의 어순으로 사용되어 형용사나 부사를 수식한다. ⓑ present는 한정적 용법으로 '현재의'라는 의미로, 서술적 용법으로 '출석한'이라는 의미로 사용된다. 명사 phone number를 수식하는 한정적 용법으로 쓰였기 때문에 '현재의'라고 해석한다. ⓒ late는 한정적 용법으로 '죽은'이라는 의미로, 서술적 용법으로 '늦은'이라는 의미로 쓰인다. 명사 husband를 수식하는 한정적 용법으로 사용되었기 때문에 '그녀의 죽은 남편'이라고 해석한다.

25 (1) '~보다 덜 …한/하게'라는 의미의 「less 형용사/부사의 원급 than」 구문을 사용하여 나타낸다. (2) '~에서 가장 ~한'이라는 의미의 「the+최상급(+명사)+in+장소를 나타내는 단수명사」 구문을 사용한다. (3) '~만큼 …한/하게'라는 의미의 「as+형용사/부사의 원급+as」 원급 비교 구문을 사용하여 나타낸다.

Chapter 8

01 ⑤ 02 ④ 03 ② 04 wait 05 ⑤
06 ② 07 ④ 08 ② 09 had, could[would] eat 10 ④ 11 ① 12 can't join
13 ③ 14 ⑤ 15 ④ 16 ① 17 ⑤
18 ① 19 would make 20 ④ 21 ②
22 ① 23 (1) would, study (2) could, speak
(3) miss, will, take
24 she doesn't know the answer
25 am sorry that my parents are not

해설

01 '날씨가 화창하면 우리는 낚시를 하러 갈 텐데.'라는 의미로 현재 사실과 반대되는 상황을 가정하거나 상상할 때 쓰는 가정법 과거 문장이다. 가정법 과거는 「if+주어+동사의 과거형 ~, 주어+조동사의 과거형+동사원형」으로 나타내기 때문에 would go가 와야 한다.

02 '네가 왕이라면 무엇을 하고 싶니?'라는 의미로 현재 사실과 반대되는 상황을 가정하거나 상상할 때 쓰는 가정법 과거 문장이다. 가정법 과거는 「if+주어+동사의 과거형 ~, 주어+조동사의 과거형+동사원형」으로 나타내기 때문에 would you do가 와야 한다.

03 '내가 그 질문의 모든 답을 알면 좋을 텐데.'라는 의미로 현재의 이룰 수 없는 소망이나 현재 사실에 대한 유감을 나타내는 I wish 가정법 과거에 해당한다. I wish 가정법 과거는 「I wish (that) 주어+동사의 과거형(조동사의 과거형+동사원형)」으로 나타낸다.

04 '네가 잠깐 기다리면 내가 너를 도와줄게.'라는 의미로 현재나 미래에 실현 가능성이 있는 일을 나타내는 조건의 if 문장이다. 조건의 if는 「if+주어+동사의 현재형 ~, 주어+현재형 또는 미래형 동사」의 형태로 나타낸다. 따라서 wait가 와야 한다. 미래의 일을 나타낸다고 하더라도 if절의 동사는 현재시제로 쓴다.

05 '내가 너라면 나는 그의 파티에 가지 않을 텐데.'라는 의미로 가정법 과거 문장이다. 따라서 「if+주어+동사의 과거형 ~, 주어+조동사의 과거형+동사원형」의 형태로 나타내며, if절의 be동사는 인칭이나 수에 관계없이 were를 쓴다.

06 '그녀가 자신의 휴대 전화를 찾으면 그녀의 엄마에게 전화를 할 거야.'라는 의미로 조건의 if 문장이다. 따라서 「if+주어+동사의 현재형 ~, 주어+현재형 또는 미래형 동사」의 형태로 나타내며 미래의 일을 나타낸다고 하더라도 if절의 동사는 현재시제로 쓴다.

07 '요술 램프를 가지고 있을 텐데.'라는 현재 사실의 반대되는 상황을 가정하는 가정법 문장으로 have가 아니라 would have가 되어야 한다.

08 • '그녀가 적당한 가격을 제시하면 나는 그것을 살 것이다.'라는 의미로 미래의 실현 가능성이 있는 일을 나타내는 조건의 if 문장이다. 조건의 if절에서는 미래의 일을 나타낸다 하더라도 현재시제를 쓰기 때문에 If절의 동사는 현재시제 offers가 되어야 한다. • '그녀에게 차가 있다면 나를 집까지 태워 다 줄 텐데.'라는 의미로 현재 사실과 반대되는 상황을 가정하는 가정법 과거 문장이다. 따라서 절의 동사 형태가 「조동사의 과거형+동사원형」이 되어야 한다. • '비가 많이 오지 않으면 좋을 텐데.'라는 의미로 현재의 이룰 수 없는 소망이나 현재 사실에 대한 유감을 나타내는 I wish 가정법 문장이다. 따라서 that절의 동사는 동사의 과거형이나, 「조동사의 과거형+동사원형」이 되어야 한다.

09 '내가 좀 더 큰 위를 가지고 있으면 좀 더 먹을 수 있을 텐데.'라는 의미로 현재 사실에 반대되는 사실을 가정하고 있다. 따라서 「if+주어+동사의 과거형 ~, 주어+조동사의 과거형+동사원형」의 형태가 되어야 하므로 차례로 had, could/would eat이 와야 한다.

10 가정법 문장은 직설법 문장으로 바꿔 쓸 수 있는데, 먼저 if를 as로 바꾸고, if절의 과거형 동사를 현재형(긍정이면 부정, 부정이면 긍정)으로 바꾼 다음, 주절의 조동사 과거형을 현재형(긍정이면 부정, 부정이면 긍정)으로 바꾸면 된다. 따라서 if절의 첫 번째 빈칸에는 현재형 부정인 is not이, 두 번째 빈칸에는 can't enjoy가 적절하다.

11 '나에게 날개가 있다면 나는 어디든 갈 수 있을 텐데.'라는 의미로 가정법 과거 문장이다. 가정법 과거는 「if+주어+동사의 과거형 ~, 주어+조동사의 과거형+동사원형」의 형태로 나타낸다.

12 I wish 가정법 과거 문장을 직설법 문장으로 전환 할 때에는 I wish를 I am sorry로 바꾸고, that절의 과거형 동사를 현재형(긍정이면 부정, 부정이면 긍정)으로 바꾸면 된다. 따라서 I wish를 I am sorry로 바꾸고 that절의 동사가 could join이므로 can't join으로 바꾼다.

13 현재의 이룰 수 없는 소망이나 현재 사실에 대한 유감을 나타내는 I wish 가정법 문장으로 「I wish (that) 주어+동사의 과거형 (조동사의 과거형+동사원형)」의 형태로 나타낸다.

14 현재 사실과 반대되는 상황을 가정하거나 상상할 때 쓰는 가정법 과거문장이다. 따라서 「if+주어+동사의 과거형 ~, 주어+조동사의 과거형+동사원형」의 형태로 나타낸다.

15 'Eddie는 키가 크지 않아서 농구를 잘 못한다.'라는 의미의 직설법 문장이다. 따라서 가정법을 직설법으로 전환하는 방법을 이용해서 직설법 문장을 가정법으로 바꾸면 된다. 따라서 if절의 동사 is not을 were로, 주절의 can't play를 could play로 바꾼다.

16 '나는 뉴욕에 살지 않아서 유감이다.'라는 의미로 직설법 문장이다. 직설법 문장을 I wish 가정법 문장으로 바꾸면 된다. I am sorry를 I wish로, don't live를 lived로 바꾼다.

17 ⑤ '내가 다시 한 번 회사에 늦으면 사장님이 매우 화를 낼 것이다.'라는 의미로 미래의 실현 가능성이 있는 일을 나타내는 조건의 if 문장이다. if절의 동사는 미래시제를 나타낸다 하더라도 현재시제로 써야 하기 때문에 will be는 am이 되어야 한다.

18 ① '내가 그 사실을 알면 좋을 텐데.'라는 의미로 I wish 가정법 과거 문장이다. I wish 가정법 과거는 「I wish (that) 주어+동사의 과거형(조동사의 과거형+동사원형)」으로 나타내기 때문에 know가 아니라 knew가 되어야 한다.

19 '나는 많은 돈을 만들어서 가난한 사람들에게 나눠줄 텐데'라는 의미로 가정법 과거 문장이다. 따라서 주절의 동사는 「조동사의 과거형+동사원형」의 형태가 되어야 하므로 will make는 would make가 되어야 한다.

20 ① I wish 가정법 과거 문장에서 that절의 동사는 과거형이나 조동사의 과거형이 되어야 하기 때문에 are는 were가 되어야 한다. ② 가정법 문장에서 if절의 동사는 과거형으로 나타내며, be동사의 경우에는 인칭과 수에 관계없이 were를 쓰기 때문에 am은 were가 되어야 한다. ③ 조건의 if 문장으로 if절이 미래의 일을 나타낸다고 하더라도 if절의 동사는 현재시제로 쓰기 때문에 will rain이 아니라 rains가 되어야 한다. ⑤ I wish 가정법 과거 문장에서 that절의 동사는 과거형이나 「조동사의 과거형+동사원형」이 되어야 하므로 won't가 아니라 wouldn't가 되어야 한다.

21 가정법 과거 문장을 직설법으로 바르게 바꾼 문장을 찾으면 된다. ② '나에게 우산이 없다면 나는 비에 젖을 텐데.'라는 의미로 if를 as

로, if절의 동사 didn't have(과거형 부정)을 현재형 긍정 have로, 주절의 would be(과거형 긍정)를 현재형 부정 am not으로 바꾸면 된다. 따라서 don't have가 아니라 have가 되어야 한다.

22 • '만약 그것을 먹으면 너는 아플 거야.'라는 의미로 조건의 if 문장이다. • '그가 아프지 않으면 그는 우리와 함께 하이킹을 갈 텐데.'라는 의미로 가정법 과거 문장이다. 조건의 if 문장과 가정법 과거 문장은 if로 시작한다.

23 (1) 가정법 과거 문장으로 「if+주어+동사의 과거형 ~, 주어+조동사의 과거형+동사원형」의 형태로 나타낸다. (2) I wish 가정법 과거 문장으로 「I wish (that) 주어+동사의 과거형(조동사의 과거형+동사원형)」의 형태로 나타낸다. (3) 조건의 if 문장으로 if절에서 미래의 일을 나타낸다 하더라도 현재시제를 쓴다.

24 '그녀가 정답을 안다면 우리에게 말해 줄 텐데.'라는 의미의 가정법 과거 문장이다. 따라서 if절의 동사가 knew이므로 현재형 부정인, doesn't know로 바꾸고, 주절의 동사 could tell을 can't tell로 바꾼다.

25 '우리 부모님이 나와 여기 함께 있으면 좋을 텐데.'라는 의미로 I wish 가정법 과거 문장이다. 따라서 I wish를 I am sorry로, that 절의 동사 were를 are not로 바꾸면 된다.

Chapter 9

01 ③ 02 ⑤ 03 ① 04 ② 05 where
06 whose 07 ③, ④ 08 ①, ③ 09 I know the man who[that] is reading a magazine. 10 ②
11 ④ 12 ① 13 ④ 14 ③ 15 ⑤
16 ③ 17 whose → which[that], live → lives
18 ① 19 ② 20 ③ 21 ③
22 which, who 23 which, where 24 ④
25 (1) a puppy which has very short legs
(2) the reason why she didn't ask us

해설

01 「접속사+대명사」 역할을 하고 선행사를 수식하는 관계대명사를 고르면 된다. 선행사 the man(사람)을 수식하고 관계대명사절의 주어 역할을 해야 하므로 who를 고른다.

02 「접속사+부사」 역할을 하고 선행사를 수식하는 관계부사를 고르면 된다. 선행사가 the season(시간)으로 when이 와야 한다.

03 '이곳이 내가 그녀를 처음 본 장소이다.'라는 의미로 where는 선행사가 장소를 나타낼 때 쓰는 관계부사이다. 따라서 place가 와야 한다.

04 '실화를 바탕으로 만든 그 영화는 많은 사람들을 감동시켰다.'라는 의미가 되어야 한다. 선행사가 film(사물)이고 was의 주어 역할을 하는 주격관계대명사가 와야 한다. 따라서 which나 that을 고른다.

05 '나는 신선한 공기를 즐길 수 있는 시골에서 살기를 원한다.'라는 의미이다. 선행사가 a country로 장소를 나타내고 관계사절이 주어, 동사, 목적어로 완벽하기 때문에 where가 와야 한다.

06 '나는 직업이 가수인 한 여인을 안다.'라는 의미이다. I know a woman. + Her Job is a singer.으로 빈칸에는 Her job에서 Her를 대신하는 소유격 관계대명사 whose가 와야 한다.

07 '그녀에게는 낯선 사람을 봐도 절대 짖지 않는 개 한 마리가 있다.'라는 의미로 선행사가 a dog(동물)이며 barks의 주어 역할을 하는 주격 관계대명사가 와야 한다. 따라서 which나 that를 고른다.

08 '그 사물함을 어떻게 열었는지 나에게 알려 줄래?'라는 의미로 방법을 나타내는 선행사 the way 또는 관계부사 how가 와야 한다. 그리고 선행사 the way와 관계부사 how는 함께 쓰지 않는다.

09 '나는 잡지를 읽고 있는 남자를 안다.'라는 의미로 선행사 the man(사람)을 수식하고 is의 주어 역할을 하는 주격 관계대명사 who나 that이 와야 한다.

10 • '그녀가 나에게 사준 사전은 정말 유용하다.'라는 의미로 선행사가 The dictionary(사물)이고 관계대명사절의 목적어 역할을 하는 목적격 관계대명사가 와야 한다. 따라서 which나 that을 고른다.
• '일요일은 내가 가족과 유일하게 저녁을 함께 먹는 날이다.'라는 의미로 선행사가 시간(the only day)이고 빈칸 뒤에 나온 문장이 주어, 동사, 목적어로 완벽하기 때문에 관계부사 when이 와야 한다.

11 the album(사물)이 선행사이고 for의 목적어 역할을 할 수 있는 목적격 관계대명사로 연결된 문장을 고른다.

12 ① '외국에서 공부한 그 여자가 우리와 함께 일한다.'라는 의미로 선행사 The woman(사람)을 수식하고 studied의 주어 역할을 하는 주격 관계대명사가 와야 한다. 따라서 whose가 아니라 who 또는 that이 되어야 한다.

13 ④ 'Jack은 어떻게 그가 사람들을 웃게 만드는지 우리에게 보여주었다.'라는 의미로 방법을 나타내는 선행사 the way와 관계부사 how는 함께 사용하지 않기 때문에 the way나 how 둘 중 하나를 삭제해야 한다.

14 목적격 관계대명사 who(m), which, that은 생략할 수 있다. ③은 주격 관계대명사로 생략할 수 없다.

15 ① '그들은 그들이 사랑했던 개를 잃어버렸다.'라는 의미이고 loved의 목적어가 되는 목적격 관계대명사, ② '나는 돈을 많이 벌 수 있는 직업을 찾고 있다.'라는 의미이고 pays의 주어가 되는 주격 관계대명사, ③ '우리는 회장이라는 남자와 이야기를 나눴다.'라는 의미이고 was의 주어가 되는 주격 관계대명사, ④ '그녀는 Jack이 그녀에게 준 선물이 마음에 들었다.'라는 의미이고 gave의 목적어가 되는 목적격 관계대명사, ⑤ '나는 저 소녀를 알지만, 그녀의 이름은 모른다.'라는 의미이며 that은 '저'라는 의미로 명사를 수식하는 지시형용사이다.

16 ①, ②, ④, ⑤는 선행사가 The room, the Italian restaurant, the country, the place로 장소를 나타내므로 관계부사 where가 와야 한다. ③ 선행사가 the reason으로 이유를 나타내는 관계부사 why가 와야 한다.

17 선행사가 a latest smartphone(사물)이고 has의 주어 역할을 하는 주격 관계대명사가 와야 한다. 따라서 whose를 which/that으로 바꿔야 한다. 주격 관계대명사 절의 동사는 선행사(My cousin)의 수와 일치시켜야 하기 때문에 live는 lives가 되어야 한다.

18 방법을 나타내는 관계부사 how나 선행사 the way를 써서 나타내면 되는데 the way와 관계부사 how는 함께 사용하지 않는다.

19 선행사가 The car(사물)이며 is의 주어 역할을 하는 주격 관계대명사 which나 that이 와야 한다.

20 ③ '저곳이 우리가 방문했던 궁전이다.'라는 의미로 선행사가 the palace(사물)이고 visited의 목적어 역할을 하는 목적격 관계대명사 which나 that이 와야 한다.

21 ①, ②, ④, ⑤의 관계대명사가 관계대명사절의 목적어로 사용되기

때문에 목적격 관계대명사이다. ③ 선행사 the man이 관계대명사절의 주어로 사용되기 때문에 주격 관계대명사이다.

22 선행사가 The monkey(동물)이고 관계대명사절의 동사 is의 주어 역할을 하는 주격 관계대명사가 필요하다. 따라서 which가 와야 한다. 선행사가 zookeepers(사람)이고, 관계대명사절의 동사 take care of의 주어 역할을 하는 주격 관계대명사 who가 와야 한다.

23 선행사가 My computer(사물)이고 관계대명사절의 동사 bought의 목적어 역할을 하는 목적격 관계대명사가 와야 한다. 선행사가 the shop으로 장소를 나타내고, 관계사절이 주어, 동사, 목적어로 이루어진 완벽한 절이므로 관계부사 where가 와야 한다.

24 '내가 필요로 하는 모든 책이 도서관에 있는 것은 아니다.'라는 의미로 문장의 주어가 관계대명사절의 수식을 받는 all the books이다. 따라서 동사 is가 아니라 are가 되어야 한다.

25 • 선행사가 a puppy(동물)로 관계대명사 which가 와야 한다.
• 선행사가 the reason(사람)이고, 관계부사 why가 와야 한다.

Chapter 10

01 ⑤	02 ④	03 ⑤	04 ①	05 ④
06 ②	07 When[when]	08 ⑤	09 ①	
10 ①	11 since	12 (1) Even, though (2) either, or		
	13 ④	14 ④	15 ⑤	16 unless
17 Although[Even though] / Though				18 ③
19 ②	20 ⑤	21 ⑤	22 ③	23 ①

24 (1) not, but (2) Although

25 (1) a, cat, as, well, as, a, dog
(2) Exercise, every, day, and

해설

01 '나는 한국어를 읽지도 쓰지도 못한다.'라는 의미가 되어야 한다. 상관접속사 「neither A nor B」는 'A와 B 둘 다 아닌'이라는 의미로 neither가 와야 한다.

02 '나는 실수를 많이 했기 때문에 기분이 좋지 않았다.'라는 의미가 되어야 하므로 이유를 나타내는 접속사 because가 와야 한다.

03 '우리는 그 프로젝트를 끝내면 소풍을 갈 것이다.'라는 의미이다. 시간의 부사절에서는 현재시제가 미래를 대신하기 때문에 finish가 와야 한다.

04 '네가 나에게 다시 한 번 기회를 주면 나는 최선을 다할 것이다.'라는 의미가 되어야 하므로 '만약 ~한다면'이라는 의미의 조건의 접속사 if를 고른다.

05 '한국에서는 집으로 들어갈 때 신발을 벗어야 한다.'라는 의미가 되어야 한다. 따라서 '~할 때'라는 의미의 시간을 나타내는 접속사 when을 고른다.

06 '한 블록 더 가면 슈퍼마켓을 찾을 수 있을 겁니다.'라는 의미이며 if 조건문은 「명령문, and 주어+동사」로 바꿔 쓸 수 있다.

07 '언제 우리가 저녁을 먹을 수 있나요?'라는 의미로 의문사 When과 '아빠가 오시면 저녁을 먹자'라는 의미로 시간을 나타내는 접속사 when이 와야 한다.

08 'A뿐만 아니라 B도'라는 의미의 「not only A but also B」가 와야 한다.

09 ① '너는 언제 나에게 전화를 했니?'라는 의미로 '언제'라는 뜻의 의문사, ② '내가 전화를 했을 때'라는 의미로 시간을 나타내는 접속사, ③ '비가 올 때'라는 의미로 시간을 나타내는 접속사, ④ '내가 그를 보았을 때'라는 의미로 시간을 나타내는 접속사, ⑤ '누군가 내 방문을 노크했을 때'라는 의미로 시간을 나타내는 접속사이다.

10 ① '그가 정직하기 때문에'라는 의미로 이유를 나타내는 접속사, ② '내가 어렸을 때'라는 의미로 시간을 나타내는 접속사, ③ '네 도움이 필요할 때'라는 의미로 시간을 나타내는 접속사, ④ '내가 잠들었을 때'라는 의미로 시간을 나타내는 접속사, ⑤ '내가 거리를 걷고 있을 때'라는 의미로 시간을 나타내는 접속사이다.

11 • '나는 운전 면허증이 없기 때문에 운전을 하면 안 된다.'라는 의미로 빈칸에는 이유를 나타내는 접속사 since, as, because가 와야 한다. • 'Sean이 다른 도시로 이사 간 이후로 나는 그를 만나지 못했다.'라는 의미이며 빈칸에는 '~이래로'라는 의미로 시간을 나타내는 접속사 since가 와야 한다. 따라서 공통으로 들어갈 단어는 since이다.

12 (1) '~임에도 불구하고'라는 의미의 양보를 나타내는 접속사 even though가 와야 한다. (2) 'A, B 둘 중 하나'라는 의미의 「either A or B」가 와야 한다.

13 ④ '나는 지금 캐나다에 살고 있음에도 불구하고 영어를 잘하지 못한다.'라는 의미가 되어야 하므로 Because를 양보를 나타내는 접속사 Although/Though/Even though로 바꿔야 한다.

14 ④ '나는 어젯밤에 숙제를 하지 않았고, 컴퓨터 게임도 하지 않았다.'라는 의미가 되어야 하므로 'A와 B 둘 다 아닌'이라는 의미의 상관접속사 「neither A nor B」가 와야 한다. 따라서 or가 아니라 nor가 되어야 한다.

15 ⑤ 'Margaret은 미니스커트와 반바지 둘 다 입지 않는다.'라는 의미이다. 'A, B 둘 다 아닌'이라는 의미의 「neither A nor B」가 되어야 하므로 or이 아니라 nor이 와야 한다.

16 '춥지 않으면 갈게'라는 의미가 되어야 하므로 '~하지 않으면'이라는 의미의 조건을 나타내는 접속사 unless가 와야 한다.

17 'Donna는 바빴지만, 내가 숙제 하는 것을 도와주었다.'라는 의미이다. 역접의 의미를 나타내는 접속사 but은 양보를 나타내는 접속사 although나 (even) though로 바꿔 쓸 수 있다.

18 'A와 B 둘 중 하나'라는 의미의 「either A or B」와 '~후에'라는 의미로 시간을 나타내는 접속사 after를 고른다.

19 문장에서 주어의 역할을 하는 명사절을 이끄는 접속사 that, '~때문에'라는 의미로 이유를 나타내는 접속사 because, 'A와 B 둘 다'라는 의미의 「both A and B」를 고른다.

20 ① 'Ann이 서울로 이사를 갈 것이라는 것이 나를 슬프게 만들었다.'라는 의미이다. that절이 문장에서 주어로 쓰이면 단수동사가 와야 하기 때문에 make가 아니라 makes가 되어야 한다. ② '나뿐만 아니라 Kevin도 기타를 연주할 수 있다.'라는 의미이다. 'A뿐만 아니라 B도'라는 의미의 「B as well as A」는 동사의 수를 B에 일치시키기 때문에 am이 아니라 is가 되어야 한다. ③ '그가 나에게 선물을 주었기 때문에 나는 행복했다.'라는 의미이다. because of 다음에는 (대)명사가 오고 because 다음에는 「주어+동사」가 오기 때문에 because of는 because가 되어야 한다. ④ '만약 네가 시간이 없으면 내가 너에게 나중에 얘기할게.'라는 의미이다. unless는 '~하지 않으면'이라는 의미로 부정의 의미를 포함하고 있기 때문에 don't have를 have로 고치거나 unless를 if로 고쳐야 한다.

21 ① '나는 영화가 형편없었다고 생각해.'라는 의미로 think의 목적어 역할을 하는 명사절을 이끄는 접속사, ② 나는 Charles가 직업이 없

다는 것을 알고 있다.'라는 의미로 know의 목적어 역할을 하는 명사절을 이끄는 접속사, ③ '나는 그가 내 남자친구였으면 좋겠다.'라는 의미로 wish의 목적어 역할을 하는 명사절을 이끄는 접속사, ④ '나는 그녀가 외국으로 공부하러 갈 거라는 것을 안다.'라는 의미로 know의 목적어 역할을 하는 명사절을 이끄는 접속사, ⑤ '나는 저 여행 가방이 네 것이라고 생각한다.'라는 의미로 suitcase를 수식하는 지시형용사이며 think의 목적어절을 이끄는 접속사 that은 생략되었다.

22 〈보기〉 '열쇠를 잊어버리고 안 가져왔기 때문에'라는 의미로 as는 이유를 나타내는 접속사이다. ① '그 소식을 들었을 때'라는 의미로 시간을 나타내는 접속사, ② '잠을 자고 있을 때'라는 의미로 시간을 나타내는 접속사, ③ '해야 할 일이 많이 때문에'라는 의미로 이유를 나타내는 접속사, ④ '깨었을 때'라는 의미로 시간을 나타내는 접속사, ⑤ '수업종이 울렸을 때'라는 의미로 시간을 나타내는 접속사이다.

23 ① '서둘러라, 그렇지 않으면 너는 늦을 것이다.'라는 의미이며 '~해라, 그렇지 않으면 …할 것이다'라는 의미의 「명령문, or 주어+동사」가 되어야 한다. 따라서 and가 아니라 or가 와야 한다.

24 (1) 'Jennifer는 미국 출신이 아니라 캐나다 출신이다.'라는 의미가 되어야 하므로 'A가 아니라 B'라는 의미의 상관접속사 「not A but B」가 와야 한다. (2) '나는 버스정류장으로 달려갔지만, 막차를 놓쳤다.'라는 의미로 but은 양보를 나타내는 although나 even though로 바꿔 쓸 수 있다.

25 (1) '나는 개 한 마리뿐만 아니라 고양이 한 마리도 기른다.'라는 의미로 'A뿐만 아니라 B도'라는 의미의 「not only A but also B」는 「B as well as A」로 바꿔 쓸 수 있다. (2) '네가 매일 운동하면 건강해질 거야.'라는 의미이며 if 조건문은 「명령문, and 주어+동사」로 바꿔 쓸 수 있다.

MEMO

MEMO

MEMO

MEMO